LA MORT D'IVAN ILLITCH
MAITRE ET SERVITEUR
TROIS MORTS

ŒUVRES DE LÉON TOLSTOÏ

Dans Le Livre de Poche :

LÉON TOLSTOÏ

La mort d'Ivan Illitch

TRADUCTION DE MICHEL-R. HOFMANN

Maître et serviteur

TRADUCTION DE BORIS DE SCHOELZER

Trois morts

TRADUCTION DE BIENSTOCK

PRÉFACE DE DOMINIQUE FACHE

LE LIVRE DE POCHE

PREFACE

LE thème de l'homme devant la mort est présent dans toute l'œuvre de Tolstoï et particulièrement dans les trois récits que rassemble ce volume. Leur simplicité, leur densité, leur puissance d'évocation symbolique les rapprochent tout autant que leur problématique.

Par-delà les discours métaphysiques la création se dépouille, confrontée à l'angoisse de l'existence. L'artifice s'évanouit et laisse sa place à l'art, image poétique d'un drame profondément vécu. Jamais Tolstoï, si ce n'est dans *La Sonate à Kreutzer* et encore avec plus d'emphase littéraire, n'a mis autant en jeu son propre destin dans son œuvre. Dire qu'Ivan Illitch pourrait être Tolstoï ou que Brékhounov n'est pas loin de ressembler au maître de Iasnaïa Poliana est une évidence simpliste. L'agonie d'Ivan Illitch sert plutôt de *catharsis* à un Tolstoï, happé par l'angoisse insupportable suscitée par l'incarnation de l'idée de mort.

Art et exorcisme se rejoignent car le drame qui se noue cache derrière sa simplicité bouleversante le jeu tragique du créateur avec son propre destin. La convention romanesque ne réussit pas à tenir à distance cette lucidité angoissée qui fait que la création et la vie (ou la mort) se mêlent, consciemment ou inconsciemment, d'une façon inextricable.

Malgré cet engagement de l'artiste (ou peut-être grâce à lui) la véritable dimension de ses personnages et de son récit est l'*universalité*. Nous sommes tous concernés et ébranlés par cette dénonciation du mensonge social, et surtout le scandale intolérable de la mort nous secoue profondément. L'impuissance, la nudité, la panique d'Ivan Illitch sont les nôtres et c'est ce qui nous atterre, une fois que la compassion et le lâche soulagement cessent de nous aveugler.

***

La mort est entrée très tôt dans la vie de Léon Tolstoï. Elle l'a empêché de connaître sa mère et son père qui lui furent enlevés dans son enfance. Puis son frère Dimitri meurt en 1856, ce qui ne lui cause qu'un chagin mêlé de contrariété égoïste. Quand son frère aîné Nicolas s'éteint, rongé de tuberculose, à Hyères en 1860, la secousse est plus violente car des liens plus étroits l'attachaient à ce frère.

« Quand on réfléchit que la mort est la fin de tout, il n'y a rien de pire que la vie », écrit-il dans une lettre à A. Fet du 17 octobre 1860. Le visage de son frère mort le frappe : « J'avais peur de découvrir son visage. Il me semblait qu'il devait être encore plus douloureux, plus effrayant que pendant sa maladie et tu ne peux t'imaginer quel visage charmant c'était avec une expression bonne, gaie et calme. »

Serait-ce que la mort recèle un secret, un apaisement inconnu ? Mais seul son intellect cherche une réponse que d'ailleurs il ne trouve pas. Il note dans son journal : « Voilà près d'un mois que Nicolenka est mort. Cet événement m'a détaché de la vie d'une façon terrible. De nouveau la même question. Pourquoi ? Je ne suis plus guère éloigné du voyage là-bas. Où ? Nulle part. »

Neuf années plus tard se place un épisode crucial que les critiques ont baptisé la nuit d'Arzamas. Tolstoï éprouve pour la première fois dans sa chair la révélation effrayante de la présence de la mort. Ecrivain fécond, il vient de finir *Guerre et Paix,* quadragénaire en pleine santé, il est littéralement frappé par cette « horreur blanche, rouge et carrée » au cours d'un voyage en province pendant une nuit passée dans une auberge d'Arzamas. Brutalement la conscience de sa vulnérabilité et l'éventualité de sa désagrégation l'assaillent. Tout son être physique participe de son effroi, sa peau se glace, une sensation d'étouffement l'envahit, une envie de vomir le saisit. Il utilise cette expérience angoissante comme thème central d'un récit *Notes d'un fou* qu'on considère comme une première approche de *La Mort d'Ivan Illitch.*

Son héros sent la mort qui rôde. « C'est stupide. Pourquoi suis-je triste ? De quoi ai-je peur ? — De moi », me répondit la voix de la Mort. Je suis là.

« Un frisson glacé me parcourut la peau. Oui la mort. Elle viendra, elle est déjà là et pourtant elle n'a rien à faire près de moi. Tout mon être éprouvait le besoin de vivre, le droit de vivre et en même temps le travail de la mort. Et ce déchirement intérieur était horrible. »

Auparavant, il concevait la mort comme une donnée extérieure, un élément pathétique du jeu humain ; maintenant qu'elle l'a visité jamais plus elle ne se laissera oublier. Pour reprendre l'image heureuse d'Henri Troyat, « désormais il allait vivre comme un blessé dont on n'a pu extraire la balle ».

Très tôt le besoin impérieux de comprendre le problème de la mort a amené Tolstoï à aborder cette question dans son œuvre. Déjà dans *Enfance* certains passages décrivent la peur de l'enfant mis en présence d'un mystère dont il soupçonne l'intensité mais n'est pas capable de mesurer la profondeur. Sans pourtant se trouver directement confronté au choc physique de la vue de sa mère morte, le petit héros sent la détresse de ses proches et sa sensibilité en ressort marquée à jamais.

Dans les *Récits de Sébastopol* et *Les Cosaques* l'approche de la mort est extérieure, intégrée à l'ensemble de l'œuvre comme un des nombreux mécanismes de jeu de la création. Pourtant la description de la mort de Praskoukhine dans les *Récits de Sébastopol* révèle, au-delà d'une grande justesse de ton, une sensibilité particulière et une puissance poétique qui tranchent avec le reste du récit.

Deux morts retiennent l'attention dans son œuvre maîtresse *Guerre et Paix* : celle du prince André et celle de Platon Karataïev. André Bolkonsky, blessé à mort, sur le champ de bataille de Borodino, découvre la paix intérieure qu'il avait jusque-là cherchée en vain. La mort ou du moins la courte période qui la précède est la source d'une régénérescence morale : « L'amour, c'est Dieu et mourir signifie pour moi, parcelle de cet amour, retourner au grand tout, à la source éternelle. » Platon Karataïev, incarnation du moujik russe, illettré mais spontané et débrouillard, simple mais profondément pieux, a une fin moins pathétique. Il est résigné car la mort fait depuis longtemps partie de son univers, elle ne constitue pas une rupture mais prend sa place dans un cycle qui le dépasse. Il s'adosse contre un arbre et l'attend dans la plus parfaite sérénité.

Après *Anna Karénine,* roman où la mort rôde en permanence et s'incarne à la fin du livre sous les traits de ce petit moujik qui frappe les roues des wagons avec un marteau et annonce à Anna son destin, Tolstoï abandonne les formes de la grande fresque romanesque avec son cortège d'apparences et d'analyses psychologiques extérieures. L'idée épure la création. Le héros est pris de l'intérieur, placé dans une situation exceptionnelle ou désespérée. La manière devient *cruelle* car le jeu qui se joue n'est pas sans danger pour le créateur. La création n'est plus un accomplissement mais une tragédie. Au révélateur de la *cruauté* passent les deux thèmes de l'amour et de la mort *(La Sonate à Kreutzer, La Mort d'Ivan Illitch),* les deux piliers de la vie et de l'œuvre de Tolstoï.

⁂

Dans le récit *Trois Morts,* composé en 1859, le principe didactique l'emporte encore sur celui de la cruauté. Tolstoï est si occupé à prouver quelque chose qu'il reste extérieur au récit lui-même. La convention romanesque maintient une distance protectrice, ne serait-ce que par le rapprochement forcé de la mort de la Dame, du moujik et de l'arbre.

Pour *La Mort d'Ivan Illitch*, publié en 1886, Tolstoï s'est inspiré d'un fait divers (le décès d'un certain Ivan Illitch Metchinkov, juge au tribunal de la ville voisine Toula). Il accumule depuis longtemps expériences et ressentiments qui font que son état d'esprit est très différent. Du récit se dégage une impression de dureté, de cruauté implacable en même temps que de froideur clinique dirigée non seulement sur l'évolution physique du moribond mais aussi sur le corps social qui l'entoure. L'élément bouleversant du récit vient de l'utilisation de ce « RÉALISME CRUEL », d'autant plus douloureusement prosaïque que l'idée de la mort reste le plus souvent pour nous abstraite et désincarnée.

Lorsque, en 1895, paraît *Maître et Serviteur*, Tolstoï a soixante-sept ans ; il est déjà le patriarche, l'oracle d'une nouvelle religion : le tolstoïsme qui n'a cependant pas pu répondre à la seule question importante : celle de la vie et de la mort.

Cette parabole, elle-même cruelle, rappelle par son côté apologétique *Trois Morts*. La forme est moins didactique et l'émotion poétique plus intense. L'artiste a repris le pas pour un temps sur l'idéologue et le succès du récit est immense.

***

Etant entendu que la mort est le thème principal de ces trois récits, il faut essayer d'aller plus avant dans l'analyse des constantes de leur thématique. La *critique sociale* est présente dans les trois récits.

Dans *Trois Morts*, cette critique sociale est enfermée dans les limites de l'apologie. Les personnages sont esquissés et particulièrement ceux qui ne sont pas au centre du thème, par conséquent l'aspect social reste au second plan. Le regard de Tolstoï est moins inquisiteur, ses motivations moins troubles, son propos plus clair.

Il s'agit pour lui d'illustrer une idée et non de « se colleter » avec une angoisse existentielle. En fait la véritable critique sociale jaillit de l'attitude devant la mort de chacun des trois protagonistes. La Dame est acariâtre, tyrannique, une sourde hostilité s'est installée dans ses rapports avec son mari. Un réseau de mensonges l'entoure, tout le monde cache ses sentiments. Médecins et prêtres s'égalent dans l'impuissance. La malade ne donne rien, elle cherche à prendre aux autres cette force de vie qui lui manque. Son agonie s'oppose à celle du cocher étendu sur le poêle qui cède ses bottes à son jeune compagnon, car elles ne lui seront plus utiles, en échange d'une simple sépulture. « La mort est là. Voilà ce que c'est ! » répond le vieux cocher. Personne ne ment. Quant à l'arbre il ne peut pas mentir. De même que le vieux cocher a cédé ses bottes, l'arbre cède son espace libre aux autres arbres. Il devient croix sur la tombe du vieux cocher, les deux se soumettant au cycle de la nature alors qu'un monument orgueilleux de pierre — pour combattre le temps et la mort — s'élève sur la tombe de la Dame.

Ceux qui sont près de la nature meurent simplement dans la sérénité d'une loi comprise et acceptée. La société corrompt la mort car la civilisation ne produit que des conciences insoumises et révoltées. On reconnaît bien là le panthéisme rousseauiste de la première manière de Tolstoï.

La critique sociale dans *La Mort d'Ivan Illitch*

est autrement virulente. L'idéologie laisse la place au « règlement de comptes ». Règlement de comptes avec la société bourgeoise de la fin du XIXe siècle, avec le mensonge social qui est son état naturel et permanent, avec les conventions de la vie professionnelle et familiale, avec le mariage.

La mort est le choc qui libère Ivan Illitch d'une vie qui porte en elle les stigmates d'une mort encore pire : celle de l'âme. La société avec ses lois uniquement dictées par l'intérêt et le profit, la vanité et l'apparence, condamne l'homme à la destruction de son être spirituel. Le mot *mensonge* revient très souvent dans le récit. Le seul à ne plus mentir est Ivan Illitch, car on ne ment pas avec la mort. Elle ne se laisse pas oublier et les pitoyables subterfuges auxquels l'homme a habituellement recours pour l'éloigner s'évanouissent devant la force et l'évidence de la mort. « Il restait seul avec *elle*. En tête-à-tête avec *elle*. Et rien d'autre à faire avec *elle* que de la regarder tandis que le cœur se glace. »

Un autre personnage échappe lui aussi au mensonge : Guérassime le jeune moujik qui s'occupe d'Ivan Illitch. Il accomplit toutes besognes, même les plus répugnantes, simplement, sans chercher à biaiser avec la mort. « Tout montrait qu'il était le seul à comprendre ce qui se passait et ne jugeait pas nécessaire de le cacher ; mais il avait simplement pitié de son maître, faible et décharné. »

On retrouve l'idée tolstoïenne que la vérité appartient aux gens simples et que plus on monte dans l'échelle sociale et plus les valeurs se trouvent dénaturées et plus le mensonge des hommes cache la vraie vie.

Les relations d'Ivan Iillitch avec sa femme, qui participe à l'écran de mensonge tendu autour du malade, annoncent déjà l'acte d'accusation de *La Sonate à Kreutzer*. Chaque action de Praskovia Fédorovna est suivie d'un petit commentaire dévoilant son véritable mobile. L'égoïsme et l'incompréhension qui jusque-là s'étaient fondus dans le mensonge d'une vie à l'idéal partagé, resurgissent à la faveur de la révélation qui accompagne l'agonie d'Ivan Illitch.

« Tout le monde avait peur de dissiper soudain le mensonge correct et de faire apparaître clairement la réalité... Quand ils eurent quitté la chambre, Ivan Illitch se sentit soulagé, le mensonge avait disparu, il était sorti avec eux. » Beaucoup de lâchetés égoïstes découvertes par Ivan Illitch chez sa femme ne sont que la transposition de ressentiments personnels de Léon Tolstoï contre sa propre épouse.

Dans *Maître et Serviteur* la critique sociale découle du choix tolstoïen pour l'homme simple. Cependant, signe des temps et du changement de la société, ce n'est plus une dame noble, ni un haut fonctionnaire, mais un marchand que Tolstoï utilise pour illustrer l'égoïsme social.

Refusant la lutte de classe entre le maître et le serviteur, il place la compétition sur le plan moral au moment crucial de la mort. Vassili Andréitch ne sera jamais propriétaire de la forêt qu'il convoitait et meurt dans la tempête mais, avant de mourir, il réchauffe Nikita de son corps. « Nikita vit, c'est donc que je vis aussi », se dit-il avec une joie triomphale. Et il se souvient de son argent, de sa boutique, de sa maison, des ventes et des achats et des millions de Mironov. Il lui est difficile de comprendre pourquoi cet homme qu'on appelait Vassili Brékhounov se préoccupait de toutes ces choses-là. « Oui, il ne savait pas de quoi il s'agissait, se disait-il en songeant à Vassili Brékhounov. Il ne savait pas comme je le sais maintenant. Maintenant je le sais. » La mort lui ouvre le chemin de la vérité mais la rédemption viendra de Nikita le moujik. Ainsi le conflit se dissout dans l'amour et la non-résistance à la mort.

Le diagnostic de Tolstoï est clair. La civilisation corrompt l'âme humaine et lui cache les vérités essentielles. Plus l'homme est proche de la nature, plus il est simple et mieux il accepte la mort, car il sait qu'il fait partie du grand cycle de l'univers. Cette vision panthéiste est profondément athée. De toute façon la peur de la mort ne peut être la source de la révélation de l'existence de Dieu. Dieu ne sauve personne pour Tolstoï, l'homme est seul à pouvoir se sauver en se détachant des fausses valeurs de la société.

Paradoxalement la mort est le chemin de la connaissance. L'agonie d'Ivan Illitch et de Brékhounov leur ouvre les yeux sur leur existence et sur le sens de la vie. La terreur disparaît et une certaine sérénité, voire une certaine joie, s'empare d'eux. Leur résignation n'est pas de la faiblesse mais l'acceptation d'un mystère devenu en quelques instants familier.

« Il n'y a plus d'erreur maintenant. Maintenant je le sais », se dit Brékhounov... « Je viens, crie-t-il de tout son être plein d'une ALLÉGRESSE ATTENDRIE. Et il sent qu'il est libre et que rien ne le retient plus. » Et Ivan Illitch :

« Il chercha sa terreur accoutumée et ne la trouva plus. Où est-elle ? Quelle mort ? Il n'avait plus peur parce que la mort aussi n'était plus. Au lieu de la mort, il voyait la lumière :

« Voilà donc ce que c'est, prononça-t-il soudain à voix haute, QUELLE JOIE ! »

La connaissance qu'apporte la confrontation directe et solitaire au problème essentiel de la mort entraîne une renaissance spirituelle, quasi mystique de l'individu.

Cela ne signifie pas pour autant que la mort n'existe plus. Cette disparition de la mort, qui pourrait passer pour la mystification d'un poète échauffé ou pour la proclamation arbitraire d'un illuminé (rappelons-nous les paroles de Kirilov dans *Les Démons :* « La vie existe, la mort n'existe pas », n'est en fait que l'évidence révélée à un homme profondément réconcilié avec son âme. Cette réconciliation *in extremis* constitue pour Tolstoï lui-même un encouragement à ne pas désespérer, lui qui cherche Dieu sans le trouver et refuse au fond de lui l'abdication de sa conscience et sa disparition dans le néant. Dans l'essai *Sur la vie et la mort* (1887), devenu plus tard simplement *Sur la vie,* il affirme que l'homme qui sait enfin que son vrai moi vit en dehors de la durée, sait aussi que l'arrêt de sa conscience animale ne signifie pas la disparition de sa ou de ses consciences qui participent d'une conscience supérieure qui se dérobe à l'entendement humain.

*
**

L'évolution de la forme des trois récits est significative de l'évolution de Tolstoï lui-même. *Trois Morts* constitue un exemple de récit idéologique où la volonté de démontrer entraîne une schématisation des personnages et de leur destin. Le rapprochement entre les trois morts sent un peu l'artifice et la leçon est trop claire. La mort elle-même n'intervient qu'au service de la logique de l'idée et Tolstoï aurait pu utiliser telle autre hypothèse de crise tout aussi révélatrice des différents caractères. L'émotion est supplantée par la démonstration. L'auteur est extérieur et ne participe aucunement à l'expérience de ses héros mais reste maître du jeu et de sa signification.

Dans *La Mort d'Ivan Illitch* la dimension métaphysique s'impose à travers une multitude de détails réalistes sur l'évolution de la maladie du héros. L'idéologie disparaît au profit d'une simplicité de ton poignante. Aucune démonstration ne vient diminuer l'intensité de l'émotion. Un homme simple meurt et l'évidence scandaleuse de sa mort nous bouleverse. Rares sont les pages où Tolstoï a atteint cette densité de l'expression, cette fusion du style (*réalisme cruel*) avec l'atmosphère générale du récit, ce *parti pris* de naturalisme quasi clinique sous-tendu par un engagement total. L'ascèse des moyens romanesques donne au récit une force qui fait qu'on ne peut le lire sans être profondément ébranlé.

Maître et Serviteur constitue un peu la synthèse entre *Trois Morts* et *La Mort d'Ivan Illitch.* Par son côté apologétique il rappelle la première parabole sur la mort. Le geste symbolique de Brékhounov réchauffant Nikita de son corps « sent » un peu trop son tolstoïsme. Par contre la psychologie des personnages est plus fouillée, l'émotion plus vraie et plus intense. Le couple Nikita/Brékhounov rappelle, toutes proportions gardées, celui formé par Ivan Illitch et Guérassime. Le ton du récit a la même simplicité, juste peut-on souligner le caractère plus pathétique et plus confiant du final où toutes les contradictions disparaissent entre la vie et la mort, et entre le maître et le serviteur.

*
**

Tolstoï essaie d'échapper au dilemme métaphysique auquel la mort nous accule, dilemme admirablement formulé par le poète A. Blok : « Le fait est que nous sommes devenus trop intelligents pour pouvoir croire en Dieu et pas assez forts pour pouvoir croire en nous-mêmes. »

Ces trois récits n'apportent pas vraiment de réponse à l'éternelle question sur le sens de la vie. *La Mort d'Ivan Illitch* reste avant tout l'interrogation angoissée d'un génie rationnel. La réponse c'est peut-être chez Dostoïevski qu'il faut aller la chercher, dont le chef-d'œuvre *Les Frères Karamazov* porte en exergue ces paroles de l'Evangile (Saint Jean XII, 24). « En vérité, en vérité, je vous le déclare, si le grain de froment ne meurt après être tombé dans la terre, il demeure seul, mais s'il meurt, il porte beaucoup de fruits. »

DOMINIQUE FACHE.

LA MORT D'IVAN ILLITCH

Traduit par Michel-R. Hofmann

CHAPITRE PREMIER

CELA se passait dans l'enceinte de l'immense palais de justice. On jugeait l'affaire des Melvinski. Profitant d'une suspension d'audience, juges et procureur s'étaient réunis dans le cabinet d'Ivan Egorovitch Chebek et parlaient du fameux procès Krassov.

Fédor Vassilievitch s'échauffait, voulant prouver à toute force que le cas n'était point du ressort des tribunaux. Ivan Egorovitch défendait âprement son point de vue. Piotr Ivanovitch, lui, ne s'était à aucun moment mêlé à la discussion et feuilletait distraitement un numéro de la *Gazette* qu'on venait d'apporter.

« Holà, messieurs, fit-il, savez-vous qu'Ivan Illitch est mort ?

— Pas possible !

— Lisez vous-même », répliqua Piotr Ivanovitch en tendant à Fédor Vassilievitch la feuille qui sentait encore l'encre d'imprimerie.

Un avis bordé de noir :

« Praskovia Fédorovna Golovine a l'immense douleur de faire part à ses parents et amis du décès de son époux bien-aimé, conseiller à la cour d'appel,

Ivan Illitch Golovine, survenu le 4 février 1882. La levée du corps aura lieu vendredi à 13 heures. »

Les personnes réunies dans le cabinet d'Ivan Egorovitch Chebek étaient des collègues du défunt et l'aimaient beaucoup. Ivan Illitch était tombé malade depuis déjà quelques semaines, et on le prétendait incurable. Provisoirement, on l'avait maintenu en fonctions, mais, en cas d'issue fatale, toutes les suppositions étaient permises : Alexéiev pouvait prendre sa place et céder la sienne à Vinnikov ou à Stabel. Voilà pourquoi, en apprenant la mort d'Ivan Illitch, chacun de ces messieurs commença par se demander quelles pouvaient en être les conséquences pour la mutation ou l'avancement des conseillers eux-mêmes et de leurs amis.

« Je vais être promu au poste de Stabel ou de Vinnikov, songea Fédor Vassilievitch. On me l'a promis depuis longtemps et cet avancement va me procurer un surcroît de huit cents roubles, sans compter les frais de chancellerie. »

« Il va falloir s'occuper du changement de mon beau-frère de Kalouga, pensa Piotr Ivanovitch. Voilà qui va faire plaisir à ma femme. Désormais elle ne pourra plus prétendre que je n'ai jamais rien voulu faire pour ses parents. »

« Je m'étais bien dit qu'il ne s'en relèverait pas, déclara tout haut Piotr Ivanovitch... Dommage !

— Qu'avait-il donc au juste ?

— Les médecins n'ont pas réussi à le diagnostiquer... Ou, du moins, ils l'ont fait, mais n'ont pu se mettre d'accord... La dernière fois que je l'ai vu, il m'avait semblé pourtant qu'il se remettrait.

— Et moi qui ne suis pas allé chez lui depuis les fêtes. Cependant, je m'étais juré de le faire.

— Avait-il de la fortune ?

— Lui, non. Sa femme... Et encore, pas grand-chose.

— Il va falloir passer chez elle. Ils habitaient diantrement loin.

— Loin de chez vous, voulez-vous dire... Vous êtes au diable vauvert.

— Il ne peut me pardonner d'habiter sur l'autre rive », expliqua Piotr Ivanovitch, que la remarque de Chebek avait fait sourire.

Là-dessus, ces messieurs, après avoir échangé quelques observations sur les distances et la longueur des trajets urbains, rentrèrent en audience.

Sans compter toutes les possibilités d'avancement, de mutation, de changement, etc., résultant du décès d'Ivan Illitch, chacun de ses amis se réjouissait, comme il se doit, de cette mort, en songeant : « Quelle chance que ce soit lui et pas moi ! »

« Il a soufflé sa chandelle, hein ! Et moi, je vis toujours ! » constatait-on avec satisfaction.

Les proches connaissances, c'est-à-dire les prétendus amis du défunt, pensaient en outre — et sans aucune joie — à toutes les assommantes formalités mondaines dont ils allaient être obligés de s'acquitter, depuis la messe pour le repos de l'âme d'Ivan Illitch jusqu'à la visite de condoléances chez la veuve.

Les plus intimes d'entre eux étaient Fédor Vassilievitch et Piotr Ivanovitch.

Ce dernier avait connu le défunt sur les bancs de l'école de droit et se croyait son obligé.

Après avoir fait part à sa femme, pendant le souper, de la mort d'Ivan Illitch et exprimé quelques espoirs quant à la mutation du beau-frère de Kalouga, Piotr Ivanovitch, sans même se reposer un moment comme il avait coutume de le faire après les repas, passa son frac et se rendit au domicile du défunt.

Un carrosse et deux fiacres stationnaient devant le perron. En bas, dans l'antichambre, près du vestiaire, on avait posé contre le mur le couvercle d'une bière, tendu le brocart glacé, avec des cordons et un galon fraîchement passés au blanc d'Espagne. Deux dames en noir ôtaient leurs manteaux de fourrure. L'une d'elles était la sœur d'Ivan Illitch (Piotr Ivanovitch la connaissait) ; l'autre était une inconnue. Un camarade du visiteur, Schwartz, descendait l'escalier. En posant le pied sur la première marche du haut, il aperçut Piotr Ivanovitch, s'arrêta et cligna de l'œil, comme pour lui dire : « Faut-il qu'il ait été godiche, cet Ivan Illitch ! Ce n'est pas comme nous autres !... »

La physionomie de Schwartz, encadrée de favoris à l'anglaise, et sa maigre silhouette serrée dans un frac respiraient une solennelle élégance, et cette pompe, qui jurait singulièrement avec le caractère enjoué du personnage, avait un piquant particulier. Ce fut du moins ce que pensa Piotr Ivanovitch.

Le visiteur s'effaça pour laisser les deux dames monter les premières et leur emboîta lentement le pas. Schwartz l'attendait toujours en haut de l'escalier : sans doute voulait-il s'entendre avec lui pour une partie de whist à tailler le soir même.

Les dames entrèrent chez la veuve.

L'air grave, les lèvres serrées et l'œil pétillant de malice, Schwartz ébaucha un léger mouvement du sourcil pour faire signe à Piotr Ivanovitch de tourner à droite, en direction de la chambre mortuaire.

Piotr Ivanovitch y entra, désemparé comme il se doit, car il ne savait ce qu'il avait à faire. Il n'ignorait cependant pas que le signe de croix n'est jamais défendu en pareille circonstance. Fallait-il saluer également ? Cela, il n'en était pas très sûr. Aussi, pour ne point commettre d'impair, il opta pour le moyen terme et, en pénétrant dans la pièce, se signa avec application tout en esquissant de vagues inclinations du buste.

Dans la mesure où le lui permettait la gesticulation des bras et de la tête, il tâcha, en même temps, d'examiner la pièce.

Deux jeunes hommes la quittaient en se signant : deux neveux du défunt, probablement, dont l'un exhibait une tenue de collégien. Une petite vieille se tenait immobile. Une dame, aux sourcils prodigieusement arqués, lui chuchotait quelque chose à l'oreille. Le sacristain, personnage en redingote, ferme, résolu, lisait les oraisons d'un ton autoritaire qui excluait toute velléité de contradiction ; le laquais Guérassime, en passant d'un pas léger devant Piotr Ivanovitch, répandit une poudre sur le sol. Ce que voyant, Piotr Ivanovitch crut percevoir aussitôt une légère odeur de cadavre en décomposition.

Lors de sa dernière visite, Piotr Ivanovitch avait aperçu le domestique dans le cabinet de son maître : Guérassime lui tenait lieu de garde-malade, et Ivan Illitch semblait l'avoir pris en grande affection.

Piotr Ivanovitch se signait toujours en ébauchant des saluts dans une direction mal définie, comprise entre le cercueil, le sacristain et les Images, rangées sur une table, dans un coin. Ensuite, s'étant dit qu'il dépassait la mesure, il s'arrêta et considéra le défunt.

Ivan Illitch était étendu comme tous les morts : lourdement, pesamment, noyant ses membres glacés dans le matelas funéraire, la tête posée pour toujours sur le coussin. Pareil à tous les morts, il avançait ostensiblement son front jaune, cireux, aux tempes creuses et dégarnies, et son nez pointu, qui semblait s'enfoncer dans la lèvre supérieure. Il avait beaucoup changé, maigri, depuis leur dernière entrevue ; son visage, de même que celui de tous les défunts, était plus beau et surtout plus *important* que de son vivant. Les traits reflétaient je ne sais quel sentiment de devoir *à remplir, rempli* et *correctement rempli* par Ivan Illitch. Avec cela, ils adressaient aux vivants une sorte de reproche ou de *memento mori.*

Cet avertissement sembla souverainement incongru à Piotr Ivanovitch ; du moins ne voulut-il pas le prendre à son compte. Soudain mal à l'aise, il se signa avec empressement, pivota rapidement sur les talons (beaucoup trop rapidement, se dit-il, et d'une manière inconvenante) et gagna la porte. Schwartz le guettait dans le couloir. Les jambes largement écartées, il jouait avec son huit-reflets, derrière le dos. Un seul regard jeté sur la silhouette facétieuse, proprette et élégante de son camarade fut, pour Piotr Ivanovitch, comme un bain de fraîcheur. Il se rendit compte que Schwartz était au-dessus de ces choses-là et ne succombait point aux impressions pénibles du moment.

Voici ce qu'exprimait tout son aspect :

L'incident de la mort d'Ivan Illitch ne doit en aucun cas être considéré comme un prétexte suffisant pour lever l'audience ; rien ne doit nous empêcher, ce soir même, de faire claquer un jeu de cartes en le décachetant, pendant que le laquais disposera sur la table quatre flambeaux garnis de chandelles neuves. En général, il n'y a nullement lieu de croire que cette circonstance puisse nous empêcher de passer une plaisante soirée.

Schwartz ne manqua du reste pas de murmurer toutes ces considérations à l'oreille de Piotr Ivanovitch, en lui proposant de se retrouver chez Fédor Vassilievitch.

Cependant, le destin en avait décidé autrement, et il était écrit que Piotr Ivanovitch ne jouerait pas au whist ce soir-là. Comme il allait se retirer, Praskovia Fédorovna sortit de son boudoir, avec des amies, les conduisit jusqu'à la porte de la chambre mortuaire et fit :

« Nous allons dire une messe pour le repos de son âme. Allez là-bas. »

Praskovia Fédorovna était une dame grassouillette, de faible taille, fortement évasée à partir des épaules en dépit d'une lutte héroïque contre l'embonpoint envahissant. Elle était toute en noir, avec un voile de crêpe sur la tête, et ses sourcils s'arquaient aussi prodigieusement que ceux de l'autre dame, devant le cercueil.

A son invitation, Schwartz répondit par un vague salut, qui pouvait être également bien pris pour un assentiment ou une rétractation polie.

Ayant reconnu Piotr Ivanovitch, Praskovia Fédorovna poussa un soupir, s'approcha de lui à le frôler, lui prit la main et murmura :

« Je sais que vous avez toujours été un véritable ami d'Ivan Illitch. »

Elle leva les yeux vers lui, attendant qu'il prononçât les quelques paroles de circonstance.

Là-bas, les signes de croix étaient de rigueur ; *ici*, il fallait serrer la main de la veuve et soupirer avec un :

« Oh ! oui, croyez-le bien, madame... »

Piotr Ivanovitch ne l'ignorait point. Il s'exécuta et, cela fait, s'aperçut qu'il avait obtenu le résultat désiré : lui-même et son interlocutrice étaient profondément émus :

« Venez en attendant que l'office commence, j'ai à vous parler, dit la veuve... Venez, donnez-moi la main. »

Piotr Ivanovitch lui tendit la main, et ils se dirigèrent vers l'intérieur de l'appartement. Schwartz cligna tristement de l'œil à son acolyte, quand ils passèrent devant lui.

« Et voilà ! Ne nous en veuillez pas si nous prenons un autre partenaire... Et puis, une fois que vous vous serez débarrassé d'elle, on pourra jouer à cinq ! » sembla dire son facétieux regard.

Piotr Ivanovitch poussa un soupir encore plus profond et accablé. Praskovia Fédorovna, reconnaissante, lui pressa les doigts.

Ayant pénétré dans le salon, tendu de cretonne rose et parcimonieusement éclairé par une lampe chagrine, ils s'installèrent devant une table. La veuve prit place sur le divan, et Piotr Ivanovitch sur un pouf aux ressorts avachis qui houlaient sous son séant. Tout d'abord, Praskovia Fédorovna avait songé à prévenir son visiteur qu'il valait mieux prendre une chaise, puis, songeant que pareil avertissement serait déplacé dans son état, elle s'était ravisée.

En se posant sur le pouf, Piotr Ivanovitch se rappela avec quel soin Ivan Illitch avait aménagé son salon, lui demandant conseil à propos de la cretonne rose à feuilles vertes.

Au moment de prendre place sur le divan et en dépassant la table (toute la pièce était encombrée de meubles et de bibelots), la mantille noire de la veuve se prit dans les dentelures de bois sculpté. Le visiteur se souleva pour l'aider à la décrocher et les ressorts du pouf, délivrés de sa pesanteur, tanguèrent en le poussant. Mais Praskovia Fédorovna s'en tira seule, et Piotr Ivanovitch se rassit, domptant derechef le pouf révolté. Hélas ! un morceau de crêpe restait encore pris. Piotr Ivanovitch se souleva de nouveau, le pouf se déchaîna et même se permit d'émettre un claquement...

Lorsque tout fut fini, la veuve tira un mouchoir de batiste bien propre et fondit en larmes. Le visiteur, fortement refroidi par l'incident de la mantille et la mutinerie du pouf, se renfrogna. Il y eut un silence gêné. Sokolov, le valet de chambre du défunt, vint l'interrompre en annonçant que la concession, au cimetière, coûterait deux cents roubles. Praskovia Fédorovna s'arrêta de pleurer, dévisagea Ivanovitch de l'air d'une victime et lui déclara en français qu'elle avait énormément de peine. Le visiteur répondit en ébauchant un geste éloquent et convaincu, comme pour dire qu'il ne pouvait en être autrement.

« Fumez donc », proposa la veuve d'un ton magnanime et désolé.

Là-dessus, elle se mit à conférer avec le domestique à propos du prix de la concession.

Tout en allumant une cigarette, Piotr Ivanovitch l'entendit s'informer très posément du prix des divers terrains et choisir celui dont il convenait de faire acquisition. Après cela, elle prit toutes dispositions utiles pour les chœurs de l'office funèbre. Sokolov se retira.

« Il faut que je fasse tout moi-même », dit-elle à Piotr Ivanovitch, en déplaçant les albums qui jonchaient la table.

S'étant aperçue que la cendre de la cigarette menaçait de choir sur la surface vernie, elle s'empressa d'avancer un cendrier au visiteur et poursuivit :

« Il me semble qu'il serait hypocrite d'affirmer que la douleur m'empêche de m'occuper des affaires pratiques. Bien au contraire, si quelque chose peut... oh ! pas me consoler, évidemment... mais enfin, si quelque chose peut me distraire, ce sont les ultimes dispositions à prendre... pour lui... »

Elle tira de nouveau son mouchoir, comme si elle allait encore pleurer, puis elle se domina, se secoua et parla d'une voix plus calme :

« J'ai une affaire qui vous concerne. »

Piotr Ivanovitch se souleva à demi en prenant bien soin de ne pas laisser s'affoler les ressorts du pouf, qui remuaient déjà sous son séant.

« Il a terriblement souffert pendant les derniers jours...

— Ah ! oui, terriblement ?

— Oh ! c'était affreux. Durant les dernières minutes, que dis-je, durant plusieurs heures, il n'a cessé de crier... Trois jours de suite, sans relâche !... C'était intenable !... Je me demande encore comment j'ai pu le supporter : on l'entendait derrière trois portes !... Oh, mon Dieu, ce que j'ai pu souffrir !...

— A-t-il conservé toute sa lucidité d'esprit ? s'informa Piotr Ivanovitch.

— Oh ! oui, jusqu'au dernier souffle, murmura-t-elle... Il nous a fait ses adieux trois quarts d'heure avant de passer... Il m'a demandé d'emmener Volodia... »

Piotr Ivanovitch se rendait compte avec malaise de tout ce qu'il y avait d'affecté dans ses propres paroles et dans celles de son interlocutrice. Néanmoins, l'idée des souffrances supportées par cet homme qu'il avait connu de si près, d'abord sous les traits espiègles du collégien, ensuite en qualité de partenaire au whist, l'effraya subitement. Il revit le front haut, éburnéen, le nez qui semblait s'enfoncer dans la lèvre supérieure, et eut peur pour lui-même.

« Trois jours de supplices et la mort... Une chose qui peut m'arriver à n'importe quel moment, tout de suite... » songea-t-il, épouvanté.

Mais presque aussitôt (et sans qu'il sût comment), il se rappela que ce malheur était arrivé à Ivan Illitch, qu'il ne devait pas, ne pouvait pas l'atteindre. Il se sermonna intérieurement en se reprochant de s'abandonner à l'impression pénible du moment, à une émotion parfaitement superflue, s'il fallait en croire la mine de Schwartz.

Ces considérations le rasséréneèrent, et Piotr Ivanovitch se mit à interroger la veuve par le menu sur les derniers instants du défunt, comme si pareille mésaventure n'avait pu arriver qu'à Ivan Illitch en particulier, mais assurément à personne d'autre.

En effet, le moribond avait souffert atrocement (Piotr Ivanovitch put en juger par l'impression produite sur les nerfs de l'infortunée Praskovia Fédorovna).

Ayant fini son exposé, la veuve résolut de passer aux affaires sérieuses.

« Oh ! mon cher Piotr Ivanovitch, comme je souffre, si vous saviez seulement comme je souffre ! » soupira-t-elle en versant un torrent de larmes.

Le visiteur soupirait également et attendait que la dame eût fini de se moucher... Après cela, il lui dit : « Oh ! oui, croyez-le bien, madame... » Praskovia Fédorovna retrouva le don de parole et se mit en devoir de l'informer de ce qui semblait être l'essentiel de son affaire. Il s'agissait de faire cracher la grosse somme au Trésor, à l'occasion du décès de son époux.

Praskovia Fédorovna feignit de vouloir seulement se renseigner auprès de son visiteur sur les modalités de la pension, mais Piotr Ivanovitch eut tôt fait de s'apercevoir que les usages administratifs n'avaient point de secret pour son interlocutrice et qu'elle cherchait à savoir s'il n'était pas possible d'obtenir mieux encore. Le visiteur s'efforça consciencieusement d'imaginer un bon moyen, réfléchit un moment, déblatéra par convenance contre la ladrerie du gouvernement et confessa qu'on ne pouvait rien faire. La veuve soupira et se demanda visiblement comment elle allait se débarrasser de son interlocuteur. Piotr Ivanovitch le comprit, écrasa sa cigarette, se leva, serra la main de son hôtesse et passa dans l'antichambre.

Dans la salle à manger, ornée d'une pendule (Ivan Illitch s'était tellement réjoui de l'avoir découverte chez un marchand de bric-à-brac), il rencontra le prêtre, quelques amis venus assister à la messe et une séduisante demoiselle, la fille d'Ivan Illitch. Elle était toute en noir. Sa taille, naturellement fine, semblait encore plus menue. Sa physionomie était sombre, résolue et presque farouche. Elle salua Piotr Ivanovitch comme on reçoit un coupable.

Derrière elle se trouvait, l'air également vexé, un riche jeune homme que Piotr Ivanovitch connaissait de vue, un juge d'instruction, son fiancé, disait-on. Le visiteur salua tristement les deux jeunes gens et allait passer dans la chambre mortuaire, quand soudain apparut, de dessous l'escalier, la silhouette d'un petit collégien, le propre fils du défunt, dont le visage ressemblait comme deux gouttes d'eau à celui d'Ivan Illitch. Mais oui, c'était à s'y méprendre le petit Ivan Illitch, tel que Piotr Ivanovitch l'avait connu à l'école de droit. Ses yeux étaient rouges de larmes et chafouins, comme peuvent l'être les yeux d'un adolescent malpropre de treize à quatorze ans.

En apercevant Piotr Ivanovitch, le gamin esquissa une grimace sévère et honteuse en même temps. Piotr Ivanovitch le salua d'un léger signe de tête et passa dans la chambre mortuaire. L'office commença : cierges, soupirs, fumée d'encens, larmes et gémissements... Piotr Ivanovitch, renfrogné, se tenait les yeux rivés sur les pieds de la personne qui se trouvait devant lui. Pas une fois, il ne regarda le défunt. A aucun moment, il ne succomba à l'influence déprimante du milieu et gagna la sortie l'un des premiers. Il n'y avait personne dans le vestibule. Guérassime s'élança hors de la chambre de feu son maître, brassa vigoureusement le tas de pelisses, pour trouver le manteau de Piotr Ivanovitch, et le lui tendit.

« Eh bien, vieux Guérassime, fit Piotr Ivanovitch, histoire de dire quelque chose, c'est triste, hein ?...

— A la grâce de Dieu. Nous y passerons tous un jour ! » répliqua le domestique en montrant ses dents blanches et fortes de paysan.

Ensuite, de l'air d'un homme fébrilement affairé, il ouvrit la porte, interpella le cocher, installa le visiteur dans son fiacre et, d'un bond, regagna le perron, la mine soucieuse, comme s'il se demandait ce qu'il lui restait encore à faire.

Piotr Ivanovitch était enchanté de se retrouver à l'air pur et d'échapper à cette odeur d'encens, de formol et de cadavre.

« Où allons-nous, monsieur ? s'enquit le cocher.

— Bah ! il n'est pas tard... Je vais passer faire un tour chez Fédor Vassilievitch. »

C'est ce qu'il fit.

Quand il arriva, ses amis finissaient juste de disputer le premier robre et il put aisément se faire accepter comme cinquième partenaire.

CHAPITRE II

L'HISTOIRE d'Ivan Illitch est simple, banale et la plus affreuse qui soit.

Ivan Illitch mourut à l'âge de quarante-cinq ans, dans la robe de conseiller à la cour d'appel. Il était le fils d'un fonctionnaire, d'un de ces fonctionnaires pétersbourgeois qui vont de département en ministère et finissent par faire une carrière qui établit, sans erreur possible, que ces gens-là sont inaptes à occuper un poste de quelque importance. Cependant, par égard à leurs années de service et à leur grade, on ne peut les chasser et, faute de mieux, on invente à leur intention des emplois fictifs d'un rapport de six à dix mille roubles bon an, mal an (nullement fictifs !), qui leur permettent de vivre dans l'aisance jusqu'à un âge très avancé.

Tel était Ilia Efimovitch Golovine, conseiller

secret et membre fantôme de toutes sortes d'administrations.

Il avait trois fils. Ivan Illitch était le puîné. L'aîné avait fait une carrière analogue à celle du père, mais dans un autre ministère et frisait déjà l'âge des « indemnités d'inertie ».

Le cadet était un malchanceux : après avoir roulé sa bosse et s'être fait mal noter dans diverses administrations, il servait dans les chemins de fer. Son père, ses frères et surtout ses belles-sœurs évitaient de le rencontrer ou même de se souvenir de son existence, à moins d'y être forcés par des besoins impérieux.

La sœur avait épousé le baron de Gref, un fonctionnaire pétersbourgeois comme Ilia Efimovitch.

Ivan Illitch passait pour être le *phénix de la famille.* Sans avoir la froideur et la pédanterie du frère aîné, il n'était pas une tête brûlée comme le cadet. Le juste milieu : un homme vif, intelligent, agréable, très comme il faut. Il avait fait ses études à l'école de droit, comme le cadet. Ce dernier ne termina jamais ses études et fut renvoyé dès la troisième. Ivan Illitch, lui, passa brillamment les examens de sortie.

A l'école, il était déjà le même que dans la suite : un homme doué, alerte, bienveillant et sociable, mais remplissant rigoureusement ce qu'il considérait comme son devoir. Et le devoir, selon sa conception, n'était pas autre chose que le bon vouloir de ses supérieurs. A aucun moment de son existence, Ivan Illitch n'avait été un flagorneur, mais, comme la lumière attire les noctuelles, il était fasciné par les gens plus haut placés que lui-même, imitait leurs manières, faisait siennes leurs idées et recherchait leur amitié.

Les entraînements de l'adolescence et de la jeunesse ne l'avaient point marqué. Ivan Illitch savait être voluptueux, ambitieux et même libéral (il est vrai, sur le tard, quand il eut acquis une notoriété suffisante), mais avec modération et sans jamais dépasser les bornes prescrites par son intuition.

A l'école de droit, il lui était arrivé de se rendre coupable de certaines peccadilles, qui lui étaient apparues jadis comme de parfaites vilenies et, sur le coup, lui avaient inspiré un vif dégoût de lui-même. Cependant, par la suite, il s'aperçut que les mêmes méfaits étaient commis par des gens haut placés, qui ne se formalisaient pas pour autant. Cela le consola et, sans prendre en bonne part ses errements passés, il affecta de les oublier ou, du moins, les évoqua depuis sans déplaisir.

Sorti de l'école avec le grade de secrétaire de collège, nanti par Ilia Efimovitch de l'argent nécessaire pour son équipement, Ivan Illitch prit soin de commander une tenue de chez Charmer, ajouta à ses breloques une petite médaille portant l'inscription « *respice finem* », dit adieu au prince, directeur de l'école de droit, et à son surveillant, soupa avec ses camarades chez Donon, fit le tour des magasins les plus élégants et les plus en vogue pour acheter valise de cuir, linge fin, vêtements à la mode, nécessaire de toilette, trousse à rasoirs et plaid, s'embarqua enfin pour la province où l'attendait un poste de tout repos, procuré par son père, de fonctionnaire chargé de missions spéciales auprès du gouverneur.

En province, son existence s'organisa aussi aisément et agréablement qu'à l'école de droit. Tout en remplissant consciencieusement les obligations du service et faisant une bonne carrière, Ivan Illitch se divertissait de manière décente. Parfois, il partait en mission pour un district, s'y comportait dignement vis-à-vis des supérieurs et des sulbalternes, s'acquittait de ses commissions avec un zèle, une ponctualité, une probité qui le remplissaient d'orgueil (les affaires qu'on lui confiait concernaient d'ordinaire les sectes de « vieux croyants »).

Dans l'accomplissement de ses fonctions, en dépit de son jeune âge et de son penchant à la gaieté, Ivan Illitch était terriblement réservé, officiel, voire sévère ; mais en société, il faisait preuve d'esprit et d'enjouement, toujours convenable, jovial et *bon enfant*, pour reprendre les propres termes de son directeur et de sa directrice, qui le recevaient comme un familier.

Il eut une liaison avec une dame provinciale, qui avait voulu tâter du jeune juriste ; il y eut des beuveries en compagnie d'aides de camp de l'empereur de passage dans la ville et des tournées dans les ruelles excentriques après le souper ; de louables efforts pour se mettre dans les bonnes grâces du directeur et de madame son épouse... Néanmoins, tout cela portait le cachet d'une si parfaite décence, d'une si bonne tenue qu'il était impossible d'y appliquer la moindre épithète malveillante. On ne pouvait que sourire avec indulgence et ranger la conduite d'Ivan Illitch dans la rubrique affectée à l'adage français : « Il faut que jeunesse se passe. » Ces diverses escapades se faisaient les mains propres, en chemise nette, à grand renfort de phrases françaises et — qui plus était — dans la meilleure société, c'est-à-dire au vu, au su et avec l'approbation des « gros bonnets ».

Cinq années s'écoulèrent de la sorte, après quoi il y eut des changements : on venait de fonder les nouveaux tribunaux et il fallait des hommes neufs.

Ivan Illitch devint un de ces hommes-là.

On lui proposa un poste de juge d'instruction, et il l'accepta, bien qu'il fût obligé de partir pour une autre province, de renoncer à ses vieilles relations, d'en nouer de nouvelles. Tout un groupe d'amis l'accompagnèrent à la gare, après s'être cotisés pour lui offrir un étui à cigarettes en argent.

Dans l'accomplissement de ses fonctions de juge d'instruction, Ivan Illitch demeura celui qu'il était du temps de son service auprès du gouverneur, en qualité de chargé de missions spéciales : parfaitement *comme il faut,* ne confondant jamais les devoirs de sa charge avec sa vie privée, inspirant l'estime et le respect à tous ceux qui avaient l'occasion de l'approcher.

Du reste, son nouveau service était tellement plus intéressant ! Evidemment, il était agréable, autrefois, sanglé dans un impeccable uniforme de chez Charmer, de passer d'une démarche légère devant les solliciteurs et fonctionnaires qui faisaient antichambre, d'entrer directement dans le cabinet de Son Excellence, de prendre place vis-à-vis d'elle et de boire le thé en sa compagnie, la cigarette au bec. Cependant, trop peu de gens dépendaient, à proprement parler, du bon vouloir d'Ivan Illitch : seuls, les gendarmes et les sectateurs lui étaient assujettis dans les rares occasions où il était envoyé en mission. Dans ces cas-là, le bon Ivan Illitch traitait humainement ses subalternes, fraternisait presque avec eux, mais n'oubliait pas de leur faire sentir qu'il ne profitait point de son pouvoir pour les écraser comme des punaises et condescendait à leur accorder son amitié.

Malheureusement, dis-je, ces gens-là n'étaient pas nombreux.

A présent qu'on l'avait investi des fonctions de juge d'instruction, Ivan Illitch se rendait compte que tous les hommes, tous sans exception, même les plus importants et les plus présomptueux, étaient à sa disposition. Il lui suffisait de tracer quelques mots sur un formulaire à en-tête pour que l'individu le plus fier, le plus haut perché et le plus important apparût dans son cabinet, en qualité de témoin ou d'inculpé ; pour qu'il restât debout devant lui s'il ne lui plaisait pas de lui offrir un siège et répondît sans réticence à ses questions.

Loin d'abuser de sa puissance, Ivan Illitch s'efforçait au contraire d'en modérer les effets ; toutefois la conscience même de son omnipotence et de la faculté de l'adoucir constituait précisément le principal attrait de sa nouvelle charge.

Dans l'exercice proprement dit de ses fonctions, Ivan Illitch apprit rapidement à écarter tous les à-côtés qui ne concernaient pas directement le service ; à couler l'affaire la plus complexe dans un moule simple et formel, à la coucher sur le papier de telle façon que la forme fût rigoureusement respectée et objective, à l'exclusion de tout sentiment d'ordre personnel. Le procédé était neuf, et Ivan Illitch fut l'un des premiers à mettre en pratique les ordonnances de 1864 [1].

Installé dans ses nouvelles fonctions, Ivan Illitch noua d'autres relations, modifia légèrement ses manières et son ton. Tout d'abord, pour plus de dignité, il établit quelque distance entre lui et les autorités provinciales ; ensuite, il se lia avec la meilleure aristocratie du lieu — aristocratie de terre

1. Promulguées par Alexandre II : « Vérité et clémence régissent la justice. » Les jurés devaient être recrutés dans toutes les classes de la population.

ou de robe —, affecta un léger mécontentement vis-à-vis du gouvernement, un libéralisme modéré, un civisme de bon aloi. Enfin, il apporta quelques retouches à son élégance, cessa de se raser le menton et laissa librement pousser sa barbe, où bon lui semblait.

Son existence devint on ne peut plus agréable. La haute société, mécontente du gouverneur de province, constituait une compagnie aimable et unie ; Ivan Illitch touchait des indemnités sensiblement plus élevées ; par surcroît, le whist, qu'on lui enseigna à cette époque, couronna en quelque sorte son bien-être. Le jeune homme se révéla rapidement un excellent joueur, perspicace et lucide, un bon compagnon, charma son entourage et ne cessa jamais de gagner aux cartes.

Après deux ans de service, Ivan Illitch rencontra celle qui devait devenir son épouse. Praskovia Fédorovna Mikhel était une jeune fille brillante, pleine de charme et d'esprit, appartenant au même milieu que le jeune juge d'instruction. Pour meubler ses délassements et varier ses passe-temps, Ivan Illitch s'empressa d'établir des relations légères et enjouées avec Praskovia Fédorovna.

Jadis, du temps qu'il était fonctionnaire chargé de missions spéciales, Ivan Illitch dansait très volontiers et même dansait tout court. Maintenant, il considérait les évolutions chorégraphiques comme une exception rare : son grade de conseiller d'Etat ne l'autorisait guère à se lancer sur le parquet ciré que pour montrer que, là encore, il savait « y faire ».

A plusieurs reprises, il lui arriva de tourner une valse avec Praskovia Fédorovna, et ce fut précisément de cette façon qu'il réussit à conquérir le cœur de la jeune fille. Elle tomba amoureuse de lui.

Jusque-là, Ivan Illitch n'avait pas encore positivement envisagé de se marier, mais, ayant appris qu'un cœur brûlait pour lui, il se demanda involontairement : « Après tout, pourquoi ne pas me marier ?... »

Praskovia Fédorovna était une jeune fille d'excellente naissance, pourvue d'un minois agréable et d'une légère fortune. Certes, Ivan Illitch pouvait compter sur un parti plus brillant, mais celui-ci n'était pas à dédaigner. Le futur avait pour ressources les revenus de sa charge ; il espérait les doubler grâce à l'apport de la dot promise.

Une jeune fille aristocratique, plaisante, agréable et parfaitement honnête — pouvait-on souhaiter mieux ?... Il serait faux de croire qu'Ivan Illitch se fût marié parce qu'il avait aimé sa fiancée ou découvert en elle une âme-sœur. Mais, d'un autre côté, les gens seraient mal avisés de penser qu'il l'eût épousée pour la seule raison que son milieu voyait cette union d'un œil favorable. Oh, non, Ivan Illitch était guidé par des considérations rigoureusement personnelles en prenant femme : d'un côté, se disait-il, un nouvel agrément allait s'ajouter aux roses de son existence ; et de l'autre, en agissant de la sorte, il se lançait dans une entreprise hautement approuvée par ses supérieurs.

Et Ivan Illitch se maria.

Tout marcha à merveille jusqu'à la première grossesse de Praskovia Fédorovna : le procédé du mariage à proprement parler, les caresses conjugales des premiers temps, et toute l'atmosphère de nouvelle installation, de linge frais et de vaisselle neuve. Déjà Ivan Illitch commençait à se dire que ces liens légitimes, au lieu de compromettre son genre de vie aisé, aimable, enjoué, toujours décent et encouragé par la bonne société, allaient encore enjoliver les choses. Hélas ! dès les premiers mois de grossesse de Praskovia Fédorovna, il lui fallut déchanter, car il se produisit un phénomène parfaitement imprévisible, déplacé, déplaisant, que dis-je, pénible, un phénomène importun dont on ne pouvait se défaire.

Sans le moindre prétexte (« *de gaieté de cœur* », songeait Ivan Illitch), Praskovia Fédorovna s'avisa soudain d'interrompre le cours régulier, très *comme il faut*, de l'existence de son époux. Elle lui faisait des scènes de jalousie stupides, pénibles et grossières, lui cherchait querelle, réclamait qu'il fût aux petits soins avec elle...

Au début, l'infortuné crut se sauver en faisant appel au calme philosophique, qui lui avait toujours été de bon secours en des circonstances analogues : il s'efforça d'ignorer l'humeur acariâtre de son épouse, continua de vivre sans souci comme par le passé, d'inviter des amis pour une partie de whist, de se rendre au club ou chez des connaissances. Mais, un beau soir, Praskovia Fédorovna l'injuria de la façon la plus grossière, et depuis ne manqua jamais de le faire toutes les fois qu'il sortait ou n'accédait pas à ses exigences, comme si elle avait résolu d'appliquer la même tactique jusqu'à ce qu'il se résignât à demeurer au foyer conjugal et à s'ennuyer avec elle. Ivan Illitch fut quasiment épouvanté et comprit, sur le tard, que la vie conjugale n'était pas toujours un lit de repos (du moins avec sa femme), qu'elle pouvait contrarier les agréments de l'existence, qu'il fallait se défendre et, une fois pour toutes, assurer sa liberté d'action.

Et Ivan Illitch se mit en quête d'un bon moyen. Seules les obligations du service pouvaient en imposer à Praskovia Fédorovna : s'en étant rendu compte, Ivan Illitch eut recours à ce procédé pour se réserver une sphère indépendante.

Vint la naissance de l'enfant, les infructueuses tentatives d'allaitement, les maladies imaginaires de la mère et du bébé. Praskovia Fédorovna exigeait que son époux s'y intéressât, mais l'infortuné Ivan Illitch, qui n'y comprenait goutte, redoubla d'efforts pour asseoir son indépendance et se créer un monde à part, où les appels de la famille ne pénétreraient point.

A mesure que la femme devenait plus autoritaire et acariâtre, le mari attachait de plus en plus de prix aux obligations de sa charge. En fin de compte, il y prit goût, les aima et devint plus ambitieux que par le passé.

Un an seulement s'était écoulé depuis le mariage, et déjà Ivan Illitch avait compris que la vie conjugale, bien qu'elle présentât des avantages certains, était une entreprise singulièrement pénible et complexe ; que pour y accomplir son devoir, c'est-à-dire mener une existence hautement convenable et hautement approuvée par la bonne société, il fallait élaborer des règles aussi rigoureuses que dans l'administration.

Et il le fit.

A présent, Ivan Illitch ne réclamait plus, à la vie domestique, que les quelques éléments de confort qu'elle était capable de lui fournir : un repas à heure fixe, une maîtresse de maison, un lit. Et surtout, il tenait à ce que fussent respectées les formes extérieures, établies par l'opinion publique. Quant au reste, il ne lui demandait que de la décence et de l'aménité. Lorsqu'il les trouvait, Ivan Illitch ne cachait pas sa gratitude ; dans le cas contraire, c'est-à-dire quand ses avances étaient fraîchement accueillies, il se réfugiait dans sa sphère administrative, interdite à la pénétration du monde extérieur, et s'y complaisait.

Ses chefs l'appréciaient et, au bout de trois ans, il fut élevé au poste de substitut.

L'importance de ses nouvelles fonctions, la possibilité de faire passer en correctionnelle et de mettre en prison qui bon lui semblait, les plaidoiries, ses succès personnels — tout cela l'attachait plus étroitement encore à son service.

Il eut d'autres enfants. Son épouse devenait de plus en plus irascible et ronchonneuse, mais les nouvelles règles de vie, élaborées par Ivan Illitch dans le domaine familial, le protégeaient mieux qu'une cuirasse.

Au bout de sept années de service dans la même ville, Ivan Illitch fut transféré dans un autre centre, avec le grade de procureur. La situation matérielle du ménage était plutôt précaire, à cette époque, et Praskovia Fédorovna n'aimait pas leur nouvelle installation. Certes, le traitement de procureur était supérieur à celui de substitut, mais le coût de la vie avait augmenté démesurément. En outre, deux enfants moururent coup sur coup, et l'existence au foyer devint encore plus pénible.

De toutes ces calamités et du peu d'agrément qu'elle trouvait à leur nouvelle installation, Praskovia Fédorovna rejetait la faute sur Ivan Illitch. Toutes les fois que les deux époux étudiaient ensemble des dispositions à prendre, notamment quant à l'éducation des enfants, des heurts se produisaient, on évoquait le souvenir de querelles anciennes et de nouvelles disputes étaient sur le point d'éclater. Les seules oasis de félicité étaient constituées par de rares retours de flamme amoureuse, qui réunissaient parfois les époux, mais pour un temps très court. Ces périodes étaient comme les îlots, où ils abordaient provisoirement, pour se rejeter à la mer, la mer de sourde hostilité qui les éloignait chaque jour davantage l'un de l'autre.

Ivan Illitch aurait pu être affecté de cet éloignement, s'il ne l'avait jugé parfaitement normal et légitime, s'il n'avait fait de cette recherche de la solitude le but essentiel de sa vie conjugale. En effet, avec les années, Ivan Illitch avait appris à se détacher de plus en plus de tous les menus tracas, à les rendre anodins et bienséants. Il y réussissait en passant le moins de temps possible au foyer, et, toutes les fois qu'il ne pouvait faire autrement, il se ménageait un palliatif en invitant une tierce personne.

Et surtout, il avait son service, devenu l'objet de toutes ses aspirations. Sa charge l'absorbait entièrement. La conscience de son autorité, de ses droits imprescriptibles sur l'existence du premier venu ; le respect manifesté à sa personne quand il entrait dans la salle d'audience ou parlait à des subordonnés ; le succès qu'il remportait auprès des supérieurs et des subalternes ; sa maîtrise professionnelle (Ivan Illitch n'en doutait pas, du reste à juste titre) — tout cela le réjouissait et remplissait sa vie, à l'égal des amicales réunions, des soupers et du whist.

De cette façon, son existence s'écoulait telle qu'il l'avait lui-même souhaitée : agréable et décente.

Sept ans passèrent encore.

La fille aînée venait d'avoir seize ans. Un autre enfant était mort, et il ne restait plus, outre l'adolescente, qu'un collégien, objet de toutes les querelles intestines. Ivan Illitch avait voulu le faire entrer à l'école de droit, mais Praskovia Fédorovna l'avait inscrit dans un collège, à seule fin de narguer son époux.

La sœur étudait à la maison et grandissait normalement. Les progrès de son frère étaient satisfaisants.

CHAPITRE III

TELLE s'écoulait l'existence d'Ivan Illitch dix-sept ans après son mariage.

Il était déjà devenu un vieux procureur chevronné, avait décliné plusieurs offres de mutation, dans l'attente d'un poste plus avantageux, quand il se produisit un événement qui mit brutalement fin à sa vie paisible.

Depuis quelque temps, Ivan Illitch lorgnait une place de président dans un centre universitaire, quand il fut devancé par un nommé Hoppe. Ivan Illitch se fâcha tout rouge, fit de cinglants reproches à son camarade, se brouilla avec lui et avec ses propres supérieurs. Ceux-ci, fortement refroidis à son égard, l'oublièrent de nouveau lors de la promotion suivante.

Ceci se passait en 1880, l'année la plus pénible de toute l'existence d'Ivan Illitch. Cette année-là il apparut que l'indemnité de procureur était nettement insuffisante pour vivre ; en outre, Ivan Illitch s'aperçut que tout le monde l'avait oublié et que ce qu'il considérait comme la pire injustice passait aux yeux des autres pour un procédé parfaitement normal. Son père ne jugea pas utile de lui venir en aide. Ses anciennes relations ne s'occupaient plus de lui, l'estimant confortablement établi, voire heureux, avec son revenu annuel de trois mille cinq cents roubles. Lui seul se rendait compte qu'avec les injustices dont il avait été victime, les continuelles jérémiades de madame, les dépenses disproportionnées à ses moyens et les dettes qu'il commençait à contracter, sa situation était loin d'être normale !

Cette année-là, afin d'économiser pendant les vacances, il demanda un congé, l'obtint et s'en alla passer l'été chez son beau-frère.

A la campagne, loin de son administration, Ivan Illitch, pour la première fois, connut l'ennui, un ennui tellement insupportable qu'il résolut sur l'heure qu'on ne pouvait pas continuer de vivre ainsi et qu'il était urgent de prendre des mesures décisives.

Après une nuit blanche, passée à faire les cent pas sur la terrasse, il prit le parti de se rendre à Pétersbourg et de solliciter un poste dans un autre département, afin de châtier tous ceux qui n'avaient pas su l'apprécier.

Le lendemain même, nonobstant les objurgations de sa femme et de son beau-frère, il partit pour Pétersbourg.

Ivan Illitch n'avait qu'une idée en tête : obtenir une place qui lui rapportât cinq mille roubles par an. Peu lui importaient le département, le poste et le genre d'activité. Tout ce qu'il demandait, c'était un emploi de cinq mille roubles, dans l'administration, les banques d'Etat, les chemins de fer, les organismes placés sous la dépendance de l'impératrice

Marie, voire les douanes. Bref, il lui fallait coûte que coûte gagner cinq mille roubles et quitter le ministère où les gens n'avaient pas su l'apprécier à sa juste valeur.

Par le plus grand des hasards, un succès inouï couronna son entreprise. A Koursk, il vit monter dans son compartiment de première classe un de ses amis, F. S. Iljine, qui lui fit part d'une dépêche récemment parvenue au gouverneur de Koursk : de grands bouleversements allaient se produire dans le ministère auquel était affecté Ivan Illitch ; Ivan Sémionovitch allait être nommé à la place de Piotr Ivanovitch !... Cette révolution, d'une importance inappréciable pour toute l'Administration russe, se révélait particulièrement favorable aux intérêts d'Ivan Illitch, car elle mettait en vedette Piotr Pétrovitch et probablement son ami Zakhar Ivanovitch, avec qui Ivan Illitch était en excellents termes.

A Moscou, la nouvelle se confirma.

Arrivé à Pétersbourg, Ivan Illitch s'empressa d'aller trouver Zakhar Ivanovitch et obtint la promesse formelle d'un poste de choix au département de la Justice, celui-là même où il servait déjà.

Huit jours après, il télégraphiait à sa femme :

ZAKHAR REMPLACE MILLER PREMIÈRE PROMOTION REÇOIS AVANCEMENT.

Grâce à cette perturbation administrative, Ivan Illitch se trouva subitement placé deux échelons au-dessus de ses anciens collègues. Cinq mille roubles par an et trois mille cinq cents pour les frais d'emploi. Oubliant ses rancœurs passées, Ivan Illitch se sentit parfaitement heureux.

Il retourna chez son beau-frère tout guilleret,

comme il ne l'avait pas été depuis longtemps. L'humeur de Praskovia Fédorovna s'en ressentit favorablement, et les deux époux conclurent un armistice. Ivan Illitch n'arrêtait pas de parler du chaleureux accueil qu'on lui avait ménagé à Saint-Pétersbourg : ses anciens antagonistes, jetés dans la boue, ployaient l'échine devant lui ; tout le monde l'enviait, tout le monde l'adorait dans la capitale, à l'en croire.

Praskovia Fédorovna le laissait dire et feignait de prendre pour argent comptant tout ce qu'il lui baillait. Pour une fois, mettant un frein à son esprit de contradiction, elle se contentait de dresser des plans d'avenir et de songer à leur installation future dans la nouvelle résidence. Et Ivan Illitch s'apercevait avec joie que les plans de son épouse concordaient avec les siens, que l'accord était rétabli, qu'après un temps d'arrêt, son existence redevenait telle qu'elle avait toujours été : heureuse, enjouée et rigoureusement *comme il faut.*

Ivan Illitch ne fit qu'un bref séjour chez son beau-frère, car dès le 10 septembre il devait entrer en fonctions ; en outre, il fallait d'abord s'organiser sur place, faire venir le mobilier de province, acheter certaines choses, prendre des dispositions. Bref, s'installer conformément aux projets qu'il avait élaborés dans son esprit et presque en accord avec les plans établis dans le cœur de Praskovia Fédorovna.

A présent que la vie avait retrouvé son cours régulier, que leurs buts semblaient être les mêmes, les deux époux se rapprochèrent mieux qu'ils ne l'avaient fait durant les premières années de leur mariage. Tout d'abord, Ivan Illitch envisagea d'emmener toute sa famille séance tenante, mais les instances de sa sœur et de son beau-frère, devenus soudain extraordinairement aimables, l'obligèrent à changer d'avis et à partir seul.

Ivan Illitch partit, et l'heureuse disposition d'esprit, due à la bonne fortune et à la paix retrouvée au foyer (ces deux éléments se complétaient et s'augmentaient mutuellement) ne le quitta plus.

On trouva un adorable appartement, exactement tel que l'avaient rêvé le mari et la femme. D'immenses salons, larges et hauts, de style ancien ; un cabinet de travail, grandiose et confortable ; deux belles pièces pour la mère et pour la fille ; une chambre d'études pour le fils — tout semblait avoir été spécialement prévu à leur intention.

Ivan Illitch se chargea lui-même de l'aménagement de leur nouvel habitacle, choisissant les papiers, achetant des meubles (en matière de mobilier, il préférait les styles anciens, qui répondaient mieux à sa conception du « comme il faut »), les draperies. Bref, la réalité s'étoffait, le rêve prenait corps et se rapprochait à grands pas de l'idéal qu'il s'était fixé. La moitié des travaux étant faite, il s'aperçut que l'installation dépassait ses propres espérances : une fois l'aménagement terminé, tout allait prendre un cachet élégant, comme il faut, exempt de vulgarité — cela se devinait déjà !

Le soir, au moment de s'endormir, Ivan Illitch s'imaginait la grande salle, telle qu'elle devait être. En contemplant le fumoir, encore inachevé, il y voyait déjà une cheminée, un écran, une étagère, des chaises basses disposées en désordre (un désordre savamment organisé), des plats et des assiettes aux murs, les bronzes à leur place. Il se réjouissait d'avance de la bonne surprise qu'il allait faire à sa femme et à sa fille, qui avaient du goût pour ces sortes de choses. Bien sûr, elles ne s'attendaient pas à cela !

Surtout, il avait réussi à trouver chez les antiquaires des objets qui conféraient à tout l'appartement comme un air de noblesse.

Dans ses lettres, il dépeignait à dessein les choses moins belles qu'elles ne l'étaient, afin de mieux jouir de l'effet de surprise.

Ivan Illitch était tellement absorbé par son installation que les travaux administratifs (et cependant, il les aimait) l'occupaient moins que par le passé. A l'audience, il lui arrivait d'avoir de véritables minutes de distraction : tout à coup, il se surprenait à se demander si les lambrequins des grands rideaux devaient être droits ou plissés. Souvent, rentré chez lui, il mettait la main à la pâte, déplaçait lui-même les meubles, accrochait et décrochait des rideaux.

Une fois, grimpé sur l'escabeau pour indiquer à l'ouvrier quelle sorte de drapé il voulait obtenir, Ivan Illitch perdit l'équilibre, mais comme il était un homme vigoureux et adroit, la chute ne fut pas grave ; seul, son flanc heurta violemment l'espagnolette du châssis. La douleur fut très vive sur le coup, mais se dissipa bientôt.

Depuis quelque temps, Ivan Illitch se sentait particulièrement dispos et bien portant et écrivait à sa femme : « J'ai l'impression d'avoir rajeuni de quinze ans. »

Il croyait achever l'installation pour le début de septembre, cependant les travaux se prolongèrent jusqu'à la mi-octobre. En revanche, tout était magnifique, de l'avis d'Ivan Illitch, et de tous ceux à qui il faisait admirer son nouveau logement.

A tout prendre, son installation ressemblait comme deux gouttes d'eau à celle de tous les gens qui, sans être riches, veulent passer pour tels et, en définitive, se copient les uns les autres : des rideaux épais, des fleurs, des tapis et des bronzes, le noir et le brillant — bref, tout ce qu'aménagent d'ordinaire dans leur appartement des gens d'un certain milieu qui voudraient ressembler à des personnes d'une autre catégorie. Le mobilier d'Ivan Illitch était tellement identique à tant d'autres que rien, mais vraiment rien, n'y méritait de fixer l'attention.

Ivan Illitch s'en vint chercher sa famille à la descente du train, l'amena dans son palais fin prêt et illuminé ; un domestique cravaté de blanc leur ouvrit la porte du vestibule rempli de fleurs ; ensuite l'on passa au salon et dans le cabinet de travail ; tout le monde se pâmait d'aise, poussait des « ah » et des « oh », et Ivan Illitch, terriblement fier et heureux, jouait son rôle d'amphitryon, faisait le guide, se gavait de louanges et ne dissimulait pas son contentement.

Le soir même, en prenant le thé, Praskovia Fédorovna l'interrogea sur sa chute. Ivan Illitch éclata de rire, mima toute la scène et l'effroi de l'ouvrier.

« Ce n'est pas pour rien que je suis un véritable acrobate. Un autre se serait tué, moi je m'en suis tiré avec un gnon... Cela fait encore mal quand on y touche, mais ce n'est rien, ça passe déjà : il reste à peine un bleu. »

Et puis, ils vécurent dans leur nouvel appartement.

Une fois bien installés, on s'aperçut qu'il manquait une pièce et quelque cinq cents roubles pour n'avoir plus rien à désirer (ces choses-là arrivent toujours et on ne les remarque qu'au bout d'un certain temps). Néanmoins, ils étaient heureux, surtout les premiers mois, quand tout n'était pas encore au point, qu'il fallait acheter un meuble, commander un ustensile, déplacer ceci, arranger cela. Certes, il y eut quelques frottements entre les époux, mais ils étaient trop satisfaits et trop préoccupés pour se quereller sérieusement.

Quand tout fut terminé, vint l'ennui ; on crut à chaque instant manquer de quelque chose, mais de nouvelles relations et des habitudes rapidement acquises eurent tôt fait de combler les vides de l'existence.

Ivan Illitch passait toute la matinée à l'audience et rentrait à midi, pour le dîner. Durant les premiers temps, son humeur fut excellente, bien qu'elle souffrît un tantinet de la nouvelle installation : la moindre tache sur une nappe ou un rideau, un cordon arraché l'irritaient prodigieusement : il s'était donné tant de peine lors des travaux d'aménagement que chaque destruction lui faisait mal.

A cette réserve près, son existence s'écoulait conformément à ses vœux de toujours : aisée, plaisante et comme il faut. Il se levait à neuf heures, prenait son café, lisait le journal, passait son uniforme et se rendait au palais de justice. Là-bas, le harnais s'était suffisamment assoupli à l'usage, et il l'endossait sans peine.

Plaideurs, minutes, chancellerie, séances publiques ou administratives... De tout cela, il fallait savoir extirper l'élément trop cru, l'élément vital et subjectif, qui menace de rompre le cours régulier des affaires judiciaires. Il s'agissait de ne pas avoir d'autres relations avec les humains que des relations de service, de ne se rencontrer avec ses semblables sur aucun autre terrain.

Un exemple : voici une personne qui vient demander un renseignement. Ivan Illitch, qui est un fonctionnaire, ne recevra le visiteur sous aucun prétexte. Mais si, en revanche, l'affaire est telle qu'on puisse l'exposer sur une feuille à en-tête officiel, le même Ivan Illitch fera tout son possible pour obliger le quémandeur et observera, en même temps, les formes qui régissent les rapports entre deux êtres humains, c'est-à-dire celles de la plus stricte courtoisie.

Mieux que quiconque, Ivan Illitch savait tracer une limite rigoureuse entre l'élément humain et l'administratif ; que dis-je, grâce à des dispositions innées et à une longue pratique, il était passé maître dans la matière, si bien que, pareil au virtuose, il se permettait parfois un léger écart, en manière de plaisanterie. Il le faisait seulement parce qu'il se sentait de force à rétablir à n'importe quel moment les barrières fatidiques. Répétons-le, dans ces sortes de choses, Ivan Illitch était devenu un véritable virtuose : pendant les suspensions d'audience, il savait se délasser et passer agréablement le temps à fumer une cigarette, prendre le thé, bavarder à bâtons rompus, faire de discrètes allusions à la politique, aux affaires d'Etat, au whist et surtout au tableau d'avancement.

Fatigué, mais heureux comme un premier violon qui aurait admirablement tenu sa partie, Ivan Illitch rentrait chez lui. Sa femme et sa fille étaient parties en visite ou recevaient des amis ; son fils était au collège, préparait ses devoirs avec des répétiteurs et étudiait consciencieusement toutes les matières prévues au programme. Tout allait le mieux du monde.

Le soir, après le dîner, quand il n'y avait point d'invités, Ivan Illitch lisait le livre-dont-tout-le-monde-parle, puis se mettait au travail, étudiait des pièces, potassait son Code, confrontait des dépositions et farfouillait dans les lois. Cette occupation ne le divertissait pas, mais elle ne l'importunait point.

S'ennuyait-il ? Le whist venait à son secours, mais, à défaut de partenaires, le commerce de la législation valait encore mieux que la solitude pure et simple ou un tête-à-tête avec Praskovia Fédorovna. Le passe-temps préféré d'Ivan Illitch consistait à organiser de petits soupers, auxquels il invitait des hommes et des femmes haut placés dans la société : de cette manière-là, il faisait *comme tout le monde,* et son salon ressemblait à celui de *tout le monde.*

Il y eut même une soirée dansante. Ivan Illitch se sentait follement gai, tout marchait à merveille, quand une bruyante querelle éclata entre lui et Praskovia Fédorovna, à propos des gâteaux et des friandises. Praskovia Fédorovna avait son plan à elle, mais son époux avait insisté pour qu'on achetât les pièces chez un grand pâtissier. Or, il resta bon nombre de gâteaux après le départ des convives, et la note du pâtissier s'élevait à quarante-cinq roubles — de là toute la dispute, une dispute violente, pénible. S'étant entendu traiter d' « imbécile » et de « savateux », Ivan Illitch explosa, se prit la tête à deux mains et fit allusion au divorce.

Cependant, la soirée fut on ne peut plus réussie. Ivan Illitch dansa avec la princesse Troufonova, la propre sœur de l'illustre fondatrice de la société « Foin de peines ! ».

Les satisfactions du service flattaient l'amour-propre ; les succès mondains chatouillaient la vanité; mais ses plus grandes jouissances, Ivan Illitch les devait au whist. Il confessait volontiers qu'à l'issue des pires déconvenues, sa joie — une joie qui brillait comme un cierge — était de s'attabler avec de bons whisteurs, des partenaires point trop criards, au nombre de quatre (« à cinq, c'est tellement plus pénible, bien qu'on fasse semblant d'y prendre plaisir ! »), d'engager un jeu sérieux, intelligent (et d'avoir la chance de son côté), puis de souper et de boire un verre de vin. Et comme on dort bien après une partie de whist (surtout, quand on a gagné, oh ! pas trop, car une grosse chance devient gênante !)... Ivan Illitch, dans ces occasions-là, se mettait au lit dans une disposition d'esprit particulièrement douce.

Ainsi vivaient-ils. Le cercle de leurs relations comprenait les personnes les plus convenables, et s'étendait, en outre, aux « gros bonnets » et aux jeunes gens.

Tacitement, le mari, la femme et la fille étaient parfaitement d'accord sur le choix de leurs fréquentations et, avec une parfaite entente, se débarrassaient de toutes sortes d'amis et de parents peu recommandables, qui, à grand renfort d'obséquiosité, s'efforçaient d'envahir leur salon, orné aux murs d'assiettes japonaises. Les résultats ne se firent pas attendre et bientôt ne vinrent plus chez les Golovine que des visiteurs triés sur le volet.

Les jeunes gens faisaient la cour à Lison, et le fils de Dmitri Ivanovitch Petristchev, héritier unique de ses terres, juge d'instruction lui-même, se montrait tellement empressé qu'Ivan Illitch commença d'en parler sérieusement à Praskovia Fédorovna : n'était-ce pas le moment d'envoyer les deux jeunes gens faire une promenade en troïka ou d'organiser un spectacle d'amateurs ?

Ainsi vivaient-ils.

L'existence suivait son cours régulier et monotone. Tout allait le mieux du monde.

CHAPITRE IV

La famille se portait bien. Quelquefois seulement, Ivan Illitch se plaignait d'une saveur désagréable dans la bouche et d'une impression de gêne dans le ventre, du côté gauche, mais cela ne pouvait passer pour une maladie.

Hélas ! cette impression de gêne s'accrut rapidement et commença d'affecter sinon l'état physique d'Ivan Illitch, du moins son moral. L'humeur d'Ivan Illitch devenait de plus en plus sombre ; les rapports se gâtaient entre les divers membres de la famille ; la vie ne suivait plus son cours régulier et *comme il faut.*

Bientôt, le torchon brûla dans le ménage ; les disputes, entre les époux, étaient sans cesse plus fréquentes. A présent, il n'était plus question de mener une existence heureuse, mais seulement de sauvegarder les apparences. Il y eut des scènes. De nouveau, l'on revint au système des oasis, encore plus rares, où le mari et la femme pouvaient se rencontrer sans explosion.

Maintenant, Praskovia Fédorovna avait quelque raison de se plaindre du caractère difficile de son époux. Il est vrai qu'avec son penchant à tout exagérer, elle prétendait qu'Ivan Illitch avait toujours eu ce naturel et que seule son angélique patience lui avait permis de le supporter pendant vingt ans.

Depuis quelque temps, Ivan Illitch prenait l'initiative des disputes. Habituellement, il commençait à chercher noise juste avant le repas ou en mangeant sa soupe. Tous les prétextes lui étaient bons : une assiette ébréchée, un plat mal à son goût, la tenue de son fils qui posait les coudes sur la table, la coiffure de sa fille... Et de tout cela, Praskovia Fédorovna était rendue responsable. Au début, elle essaya de lui répliquer vertement, mais à deux ou trois reprises il entra dans une véritable fureur, et la pauvre femme, comprenant qu'il s'agissait d'un état maladif, provoqué probablement par l'absorption du dîner, se fit une raison, ne lui riposta plus et tâcha d'abréger la durée des repas.

Praskovia Fédorovna se fit un grand mérite de cette résignation : ayant découvert que son mari avait un caractère affreux et lui avait gâché toute la vie, elle se prit en pitié. Et plus elle compatissait à sa propre infortune, plus elle haïssait Ivan Illitch. Elle se prit à souhaiter qu'il mourût rapidement, et puis se ravisa, s'étant rappelé qu'elle resterait sans ressources. Cette circonstance ne fit qu'accroître sa prévention à son égard. Praskovia Fédorovna se jugeait d'autant plus malheureuse que la mort elle-même ne pouvait lui apporter la moindre chance de salut. Elle s'irritait, refoulait sa colère et, de ce fait même, l'aggravait.

A l'issue d'une scène orageuse, où il s'était montré particulièrement injuste, Ivan Illitch reconnut lui-même que son aigreur était due à la maladie. Praskovia Fédorovna lui conseilla, s'il était malade, d'aller consulter une célébrité médicale.

Il s'exécuta.

La visite se passa exactement comme il l'avait prévu et comme il se doit : une longue attente, une gravité toute médicale, de commande (celle-là même qu'il affectait à l'audience), l'auscultation, les questions qui réclamaient des réponses convenues d'avance et par conséquent inutiles... Une mine imposante, qui semblait vouloir dire : « Faites-nous confiance. On saura vous tirer de là. Ça nous connaît. Chez nous, tout est prévu pour tous et pour chacun... » Bref, le même spectacle qu'au palais de justice. De même qu'Ivan Illitch se produisait devant les inculpés, la célébrité médicale jouait une petite scène à son intention particulière.

« Ceci, voyez-vous, indique que dans vos viscères il se passe cela... Cependant, si telle ou telle analyse ne confirme pas tel ou tel autre soupçon, nous supposerons alors que... etc. Or, si nous le supposons... »

Voilà quels étaient à peu de choses près les propos du médecin.

Une seule question importait à Ivan Illitch : son état était-il grave, oui ou non ?... Une question saugrenue s'il en fut, puisque le praticien feignait de l'ignorer... Une question oiseuse pour le corps médical et qui ne valait même pas la peine de s'y arrêter. Seule, une chose l'intéressait : un calcul de probabilités, fondé sur la triple éventualité d'un rein flottant, d'un catarrhe chronique et d'une inflammation de l'appendice.

Il ne s'agissait point de la vie d'Ivan Illitch, mais d'une querelle entre le rein flottant et l'appendice.

Et le médecin résolut brillamment le problème en accordant une victoire aux points au second nommé. Néanmoins, il fit des réserves en spécifiant que l'analyse de l'urine pouvait fournir de nouvelles preuves à conviction et que, dans ce cas, il faudrait reprendre l'instruction de l'affaire.

Tout cela évoquait à s'y méprendre les brillantes démonstrations d'Ivan Illitch sur le dos des inculpés. Pour conclure, le praticien résuma adroitement la cause et dévisagea gaillardement l'accusé par-dessus ses lunettes. L'accusé crut comprendre que sa situation n'était pas des plus enviables, mais que cette circonstance n'importait guère au praticien et au reste du monde. Pareille conviction ulcéra profondément l'infortuné Ivan Illitch, lui inspira une vive compassion pour lui-même et beaucoup de colère à l'égard de l'indifférent médecin, qui tournait le dos à une question cruciale.

Cependant Ivan Illitch ne souffla mot. Il se leva, déposa l'argent sur le bureau du docteur et soupira :

« Je gage que nous autres malades avons l'habitude de poser des questions déplacées... Dites-moi, docteur, en général, cette affection est-elle grave ou non ?... »

Le praticien le fixa sévèrement, d'un seul œil, à travers ses lunettes, et sembla le tancer : « Accusé, si vous ne vous contentez pas de répondre aux questions qui vous sont posées, je vais être obligé de vous faire expulser de la salle d'audience... »

« Je vous ai déjà dit, monsieur, tout ce que j'ai jugé utile et raisonnable de vous révéler, répondit le docteur... pour le reste, attendons les résultats de l'analyse... »

Il fit un bref salut.

Ivan Illitch se retira lentement, tristement, monta dans son traîneau, se fit conduire chez lui.

Tout le long du chemin, il ne cessa de méditer les paroles du médecin, d'essayer de traduire en langage clair ses termes techniques, nébuleux et embrouillés, afin d'y lire une réponse à son interrogation : suis-je mal, très mal, ou bien cela peut-il encore aller ?...

En fin de compte, il crut comprendre que son état était très grave, et soudain tout lui parut triste, si triste : les rues, les cochers de fiacre, les maisons, les passants, les boutiques... La douleur, cette douleur sourde, lancinante, qui ne lui laissait pas une seconde de répit, prenait une importance plus considérable en corrélation avec les discours filandreux du docteur. Ivan Illitch l'écoutait à présent avec un sentiment nouveau, très pénible...

De retour chez lui, il s'empressa de faire à son épouse un récit détaillé de la consultation. Praskovia Fédorovna l'écouta avec attention, mais Lison pénétra dans la pièce au beau milieu de l'exposé, son chapeau sur la tête : les deux femmes allaient sortir. Faisant effort sur elle-même, la jeune fille prit un siège, résignée à subir le martyre de l'ennui. Sa mère mit fin au supplice en arrêtant Ivan Illitch :

« Parfait, parfait !... Je suis très, très heureuse... Fais bien attention à prendre tes médicaments aux heures prescrites... Passe-moi l'ordonnance, je vais demander à Guérassime de faire un saut jusqu'à la pharmacie... »

Elle se retira pour changer de vêtements.

Tout le temps que Praskovia Fédorovna était demeurée dans la pièce, Ivan Illitch n'avait pas repris haleine une seule fois. Après son départ, il poussa un profond soupir.

« Après tout, qui sait... Peut-être n'est-ce réellement pas grand-chose. »

Il commença de prendre son médicament et d'exécuter ponctuellement toutes les prescriptions du médecin (qui auraient dû être modifiées depuis qu'on avait appris les résultats de l'analyse d'urine). Et ce fut là que les choses se gâtèrent et s'embrouillèrent, précisément à cause du résultat de l'analyse et des nouvelle mesures à adopter. Impossible de toucher le docteur lui-même, or les effets du traitement et l'évolution de la maladie ne coïncidaient pas avec ses prévisions : avait-il menti, oublié ou caché quelque chose à son patient ?...

Cependant, Ivan Illitch ne désespérait pas et, durant les premiers temps, trouva quelque consolation dans l'accomplissement rigoureux des commandements de la faculté.

Sa préoccupation majeure depuis la consultation consistait à prendre le médicament aux heures dites, à observer les règles de l'hygiène, à s'écouter et surveiller le fonctionnement de ses organes. A présent rien ne l'intéressait comme les affections. Parlait-on d'un malade en sa présence, d'un mort ou d'un patient heureusement rétabli, qu'aussitôt il dressait l'oreille en cachant son émotion, posait des questions, tirait des conclusions, surtout lorsque le mal semblait analogue au sien.

La douleur ne faiblissait pas, mais Ivan Illitch faisait effort sur lui-même et s'obligeait à croire qu'il allait sensiblement mieux. Et il réussissait à se tromper jusqu'à la première émotion grave. Malheureusement une querelle domestique, des ennuis de service, un mauvais jeu au whist suffisaient pour lui rappeler la gravité de son état. Jadis, il résistait aux coups du sort : « Ce n'est rien, ce n'est rien, se disait-il. Ça passera ! Un instant seulement, et je répare le mal, vaincs la guigne, remporte un vrai triomphe : le grand chelem, quoi ! »... A présent, la moindre malchance le laissait les bras ballants, désespéré... Et il songeait : « Je commençais justement d'aller mieux, le médicament semblait produire son effet, et il a fallu que cette maudite guigne ou cet ennui... »

Il s'en prenait au sort, il s'en prenait aux hommes qui lui causaient des tracas et le tuaient, mais oui, le tuaient, car, immanquablement, cette colère, qui montait en lui, devait hâter le terme...

Normalement, semblait-il, Ivan Illitch aurait dû comprendre que cette rancœur perpétuelle contre les hommes et les choses aggravait sa maladie et que, par conséquent, il fallait s'efforcer de ne pas faire attention aux petites tracasseries inévitables de l'existence. Mais non, il raisonnait justement à l'envers ! Tout en se disant qu'il avait besoin de calme, il guettait positivement le moindre incident capable de compromettre son repos et s'irritait pour un rien. En outre, il avait le tort de consulter trop volontiers praticiens et ouvrages de médecine.

L'aggravation de son état était si lente et régulière qu'il pouvait se faire illusion à force de s'étudier au jour le jour : d'un jour à l'autre, la différence était minime. Mais toutes les fois qu'il consultait un médecin, il lui semblait que son mal empirait de manière catastrophique. Néanmoins, il n'interrompait pas ses visites pour autant.

Ce mois-ci, il s'en vint consulter une autre sommité. Ses conclusions furent sensiblement les mêmes que celles de la première, mais ses questions formulées différemment. Les doutes et la crainte d'Ivan Illitch ne firent que s'accroître.

Un ami de ses amis, un excellent médecin, émit des suppositions qui ne coïncidaient nullement avec celles de ses deux collègues, promit la guérison, mais embrouilla tant et si bien les choses qu'Ivan Illitch ne sut plus à quel saint se vouer.

Un homéopathe, dûment consulté, posa un diagnostic totalement différent et donna une médecine qu'Ivan Illitch prit pendant une huitaine de jours, en grand secret, comme il se devait. Au bout de ce laps de temps, s'étant aperçu qu'il ne se produisait aucune amélioration, il perdit confiance dans tous les médicaments en général et tomba dans une mélancolie profonde.

Une dame, en sa présence, parla de guérison miraculeuse par les Saintes Images. Ivan Illitch se surprit à l'écouter très gravement et crut à l'efficacité du procédé. Il en fut épouvanté :

« Se peut-il que je sois devenu tellement bête ? se dit-il... Fadaises !... Bagatelles !... Au lieu de me mettre martel en tête, je ferais mieux de choisir un bon médecin, un seul, et de suivre rigoureusement ses avis... Du reste, c'est ce que je vais faire !... Fini, fini !... Je ne passerai plus mon temps à réfléchir et me soignerai sérieusement jusqu'au commencement de l'été. A ce moment-là, nous verrons !... Assez tergiversé !... »

C'était facile à dire... La douleur au flanc devenait de plus en plus pénible et continue ; et ce goût fétide semblait de plus en plus étrange. Ivan Illitch croyait avoir une haleine de pestiféré ; son appétit diminuait, ses forces décroissaient... A présent, il n'avait plus le droit de se leurrer : quelque chose de singulier affectait son organisme, quelque chose de grave, inconnu jusqu'alors. Malheureusement le malade était le seul à le savoir, car ceux qui l'entouraient ne pouvaient pas ou ne voulaient rien comprendre : pour eux, la vie coulait comme par le passé.

Cette indifférence, feinte ou sincère, aggravait les tourments d'Ivan Illitch. Praskovia Fédorovna et Lison, en pleine période de sorties, ne s'apercevaient de rien et lui en voulaient pour son exigence et sa mauvaise humeur — comme si ç'avait été sa faute !... Bien qu'elles s'efforçassent de le cacher, il savait qu'il les gênait. De plus, Praskovia Fédorovna avait adopté une attitude singulièrement indépendante à l'égard de ce qu'il disait et faisait. Sa position était la suivante :

« Vous savez bien, expliquait-elle aux amis, qu'Ivan Illitch ne peut faire comme tout le monde et observer ponctuellement les prescriptions de son médecin. Un jour, il prend son médicament, suit son régime et se couche à l'heure ; le lendemain, il oubliera de prendre ses gouttes, si je n'y fais attention, vous mangera de l'esturgeon (ça lui est défendu), jouera au whist et se mettra au lit à une heure passée !...

— Allons donc ! répliquait Ivan Illitch avec dépit... Cela ne m'est arrivé qu'une fois, chez Piotr Ivanovitch.

— Et hier soir avec Chebek ?

— De toute façon, j'avais tellement mal que je n'aurais pas pu dormir...

— Peu importe... Je constate seulement qu'à ce compte-là tu ne guériras jamais et ne fais que nous tourmenter... »

Praskovia Fédorovna ne se gênait pas de raconter à tout venant et au principal intéressé lui-même que la maladie d'Ivan Illitch n'était pas autre chose qu'une nouvelle invention pour lui causer de la peine et que tout cela était sa propre faute. Ivan Illitch savait très bien que ces propos lui échappaient malgré elle, qu'elle ne pensait peut-être même pas à ce qu'elle disait, mais n'était pas soulagé pour autant.

Au palais de justice, Ivan Illitch observait (ou croyait observer) de singulières attitudes à son endroit. Tantôt il lui semblait qu'on le guettait comme un homme sur le point de laisser la place nette. Tantôt, au contraire, ses amis se moquaient de sa monomanie, comme si cette chose affreuse, qui avait pris corps dans son organisme, le vidait de sa substance et l'entraînait irrésistiblement Dieu sait où, était un agréable sujet de plaisanteries. Schwartz surtout l'irritait et lui rappelait par son enjouement, sa vitalité et son parfait *comme il faut*, ce qu'il était lui-même dix ans auparavant.

Des amis sont venus faire une partie de whist chez Ivan Illitch. On distribue les cartes, les presse pour les assouplir (un jeu tout neuf !), les range par couleurs. Ivan Illitch a sept carreaux. Son partenaire annonce un sans atout et le soutient à deux carreaux. Quoi de mieux, semble-t-il : la vie est belle, c'est le grand chelem !... Et soudain, Ivan Illitch ressent cette douleur au flanc, cette amertume dans la bouche ; d'étranges pensées l'envahissent, et la réussite au jeu ne le satisfait plus.

Il regarde Mikhaïl Mikhaïlovitch, son vis-à-vis. Ce dernier, d'un poing sanguin, cogne la table. Respectueux et indulgent, il ne ramasse pas les plis, mais les pousse dans la direction d'Ivan Illitch, comme pour lui réserver les honneurs du triomphe et lui permettre d'entasser les cartes sans effort.

« Me croit-il donc si faible que je ne puisse pas tendre la main ? » songe Ivan Illitch.

Dans son émoi, il oublie de compter les cartes, joue atout sur atout, coupe son partenaire, fait trois de chute... Et le plus douloureux, c'est d'observer la sincère affliction de Mikhaïl Mikhaïlovitch et sa propre apathie. Et de se demander d'où vient cette apathie !

Ses amis s'aperçoivent qu'il n'est pas très bien.

« Voulez-vous que nous en restions là, si vous êtes fatigué ?... Allez vous reposer. »

Se reposer, ah ! ah ! Oh ! non, il n'est pas fatigué, et l'on termine le robre.

Tout le monde est morose, taciturne. Ivan Illitch se rend compte qu'il y a de sa faute, mais ne peut rien faire pour détendre l'atmosphère.

Après souper, l'on se sépare. Ivan Illitch demeure seul, seul avec la conscience d'avoir gâché sa vie et de gâcher celle des autres, que la virulence du poison ne faiblit point, mais au contraire pénètre plus intimement dans son être entier.

Avec ce sentiment (et la souffrance physique), il fallait se mettre au lit pour ne pas dormir une bonne partie de la nuit, sous l'effet du mal. Et le lendemain matin, Ivan Illitch devait se lever, s'habiller, se rendre au palais de justice, parler, écrire... Ou bien rester chez lui avec sa maladie.

La journée se compose de vingt-quatre heures, et chaque heure est un supplice.

Et Ivan Illitch était obligé de vivre au bord du gouffre, sans personne pour le comprendre ou s'apitoyer sur son sort...

CHAPITRE V

Un mois s'écoula de la sorte, puis un autre.

Peu de temps avant le Nouvel An, le beau-frère, arrivé en ville, descendit chez eux. Ivan Illitch se trouvait à l'audience. Praskovia Fédorovna était allée faire des courses.

En pénétrant dans son cabinet de travail, Ivan Illitch y trouva son beau-frère, un grand gaillard de complexion sanguine, bâti à chaux et à sable, occupé à déballer lui-même ses valises. Ayant entendu venir Ivan Illitch, il leva la tête et le considéra quelque temps, en silence. Dans ce regard, Ivan Illitch lut la sentence. Le beau-frère ouvrit la bouche pour pousser un « oh ! », mais se retint. Il n'en fallait pas davantage pour dissiper les derniers doutes du malade.

« J'ai changé, n'est-ce pas ?

— Euh... oui, légèrement... »

Mais, en dépit de toutes les questions d'Ivan Illitch, le beau-frère n'en voulut pas dire plus long.

Praskovia Fédorovna revint à la maison, sur ces entrefaites, et le beau-frère se retira avec elle. Ivan Illitch s'enferma à clef et se regarda dans une glace : de face, puis de profil. Ensuite, il prit une photographie, qui le représentait avec sa femme, et compara l'image à celle qu'il voyait. L'altération des traits était considérable. Alors, il retroussa les manches jusqu'au coude, examina ses bras, rabaissa les manches, s'assit sur l'ottomane et devint plus sombre que la nuit.

« Non, non et non ! Je ne dois pas me laisser aller ! » se dit-il en bondissant sur ses pieds, s'approchant de la table et s'emparant d'un dossier.

Mais il ne put lire. Il ouvrit la porte, passa dans la grande salle. La porte du salon était fermée. Il s'en approcha à pas de loup et dressa l'oreille.

« Allons donc, tu exagères ! disait Praskovia Fédorovna.

— J'exagère ?... C'est toi qui es aveugle !... C'est

un homme mort, te dis-je : vois ses yeux... Pas de lumière... Mais qu'a-t-il donc, au juste ?

— Personne n'en sait rien, Nikolaïev (c'était le second médecin) a dit quelque chose, mais j'ignore quoi exactement... Leschetitzki (la sommité) a déclaré, au contraire, que... »

Ivan Illitch quitta son poste, rentra chez lui, s'allongea et réfléchit de nouveau : « C'est le rein, un rein flottant ! »

Et il se rappela tout ce qu'avaient dit les médecins : de quelle façon le rein s'était détaché et comment il « flottait ». Et il voulut le rattraper, ce rein rebelle, le remettre en place, le fixer... il fallait si peu de chose, lui semblait-il...

« Non, il faut que j'aille encore chez Piotr Ivanovitch ! » (C'était l'ami qui connaissait un médecin.) Il sonna, fit atteler et s'apprêta à partir.

« Où vas-tu, *Jean* ? » lui demanda Praskovia Fédorovna d'un ton chagrin et extraordinairement doux.

Cette douceur inusitée l'irrita. Il considéra sa femme d'un œil noir.

« Il faut que je passe chez Piotr Ivanovitch. »

Il se rendit chez son ami et de là, en compagnie de ce dernier, chez le médecin qu'il eut la chance de trouver chez lui.

La consultation fut longue.

En repassant dans sa mémoire tous les détails anatomiques et physiologiques, fournis par le docteur, Ivan Illitch crut comprendre ce qui en était.

Il y avait un petit quelque chose — oh ! une paille — dans l'appendice. Tout pouvait encore s'arranger. Il s'agissait d'augmenter l'énergie d'un organe, de mettre un frein à l'activité de tel autre, il y aurait résorption et ce serait fini !

Ivan Illitch arriva légèrement en retard pour le dîner. Après le repas, il bavarda gaiement et longtemps ne put se retirer dans son cabinet. En fin de compte, il s'y décida et se mit au travail. Tout en compulsant des dossiers et lisant des rapports, il ne cessait de se rappeler qu'une autre affaire l'attendait, une affaire grave, intime, dont il s'occuperait aussitôt qu'il aurait expédié tout cela.

Ayant fini de travailler, il se souvint que l'affaire pressante n'était pas autre chose que son appendice. Ivan Illitch résolut de ne plus y penser et se rendit au salon pour prendre le thé. Il y avait des invités. Bavardage, piano, romances. Entre autres, se trouvait là le juge d'instruction, celui-là même en qui les Golovine voyaient volontiers un futur gendre.

Praskovia Fédorovna crut observer que son mari était plus joyeux que de coutume, cependant, pas un seul instant, Ivan Illitch ne cessa de penser à son appendice.

A onze heures, il prit congé et se retira. Depuis qu'il était malade, Ivan Illitch dormait dans une petite pièce attenante à son cabinet de travail. Il se déshabilla, prit un roman de Zola mais, au lieu de lire, s'abîma dans ses réflexions. Et dans son imagination, le coupable appendice se comportait exactement comme il le souhaitait. Résorption, excrétion, et tout rentrait dans l'ordre normal.

« Oui, oui, cela est bel et bon, songeait Ivan Illitch, mais il faut donner un coup de pouce à la nature... »

Il se souvint de son médicament, le prit, s'étendit sur le dos et guetta les effets bénéfiques du produit qui progressivement tuait la douleur.

« Il faut que j'en prenne régulièrement et me

mette à l'abri de toutes les influences néfastes... Déjà, je me sens mieux, beaucoup mieux... »

Il tâta le flanc — plus de douleur !

« Je ne sens plus rien, ça va mieux, tellement mieux... »

Il souffla sa chandelle et s'allongea sur le côté... L'appendice se rectifiait, le mal se résorbait...

Et soudain, la même douleur, familière, sourde, lancinante, obstinée, grave et cauteleuse. Et la même ordure dans sa bouche. Son cœur se serra, la tête se troubla.

« Mon Dieu, oh ! mon Dieu, toujours la même chose, toujours la même chose !... Cela ne finira jamais !... »

Subitement, l'affaire lui apparut sous un autre angle :

« Appendice... rein flottant, se dit-il... Oh ! ce n'est pas de cela qu'il s'agit... C'est... c'est une question de vie ou de mort... L'essence vitale s'en va, et je ne peux rien faire pour la retenir. Mais oui. A quoi bon se leurrer ?... N'est-il pas évident pour tout le monde excepté moi-même qu'en ce moment je me meurs, que tout doit finir dans quelques semaines, quelques jours... tout de suite peut-être... A la lumière succèdent les ténèbres... J'étais ici, je vais là-bas... Où donc ?... »

Il perçut comme un souffle glacé. Sa respiration s'arrêta. Il n'entendit plus que les battements de son cœur.

« Je ne serai plus. Mais qu'y aura-t-il donc ?... Rien du tout. Et où serai-je, quand je ne serai plus ? Est-ce la mort ?... Oh ! je ne veux pas ! »

Il se dressa sur son séant, voulut rallumer la chandelle, chercha à tâtons d'une main qui tremblait, fit choir le chandelier et, de nouveau, se renversa sur son oreiller. « A quoi bon ? C'est égal, se dit-il, les yeux grands ouverts, dans le noir... La mort... Oui, la mort... Et ils n'en savent rien, ne veulent pas savoir, ils refusent de me plaindre... Ils s'amusent. (En effet, on percevait, venant de la grande salle, une voix qui chantait et les ritournelles du piano.) Ils s'en moquent, et pourtant ils mourront aussi ! Bande d'imbéciles !... J'y passerai avant eux, mais ils n'y couperont pas !... Et ils s'amusent... Oh ! les veaux. »

La colère l'étranglait. Une peine infinie, intenable, lui serrait le cœur.

« Ce n'est pas possible que tout le monde soit condamné à subir les mêmes affres !... »

Il se souleva.

« Il y a quelque chose qui ne va pas. Je dois me calmer et réfléchir d'abord. »

Ivan Illitch se prit à méditer.

« Ah ! oui, comment cela a-t-il débuté... Je me suis cogné, et puis après ? Je suis resté le même, le même qu'hier, aujourd'hui, demain... Cela m'a fait un peu mal, sur le coup... Et puis la douleur s'est aggravée. Les médecins. La tristesse. L'hypocondrie. Encore les médecins. Et toujours plus près du gouffre. Moins de forces. Et le gouffre tout proche. Je dépéris : plus de lumière dans les yeux. C'est la mort, et je me soucie de mon appendice. Je crois pouvoir réparer mon appendice, et c'est la mort. Est-ce vraiment la mort ?... »

Et de nouveau, en proie à l'angoisse, il haleta, se pencha, cherchant les allumettes, appuya son coude contre le tabouret qui lui servait de table de nuit. Il le gênait, lui faisait mal ; Ivan Illitch se fâcha, appuya plus fort et fit choir le meuble. Désespéré, à bout de souffle, il se renversa encore sur son oreiller, attendant que vînt la mort, croyant que c'était pour tout de suite...

Les invités étaient précisément en train de se retirer. Praskovia Fédorovna les reconduisait dans l'antichambre. Ayant perçu le bruit de chute, elle entra chez Ivan Illitch.

« Qu'y a-t-il ?

— Ce n'est rien. J'ai renversé le tabouret par mégarde. »

Elle sortit, apporta de la lumière. Ivan Illitch gisait sur son lit, respirant péniblement, précipitamment, comme un homme qui aurait couru un bon kilomètre, et la fixait d'un œil immobile.

« Qu'as-tu, *Jean* ?

— R...rien... J'ai ren...ver...sé le... »

« A quoi bon lui expliquer, n'importe comment, elle ne comprendrait pas », se dit-il.

En effet, Praskovia Fédorovna ne comprit goutte. Elle ramassa la chandelle, l'alluma et se retira en hâte : ne fallait-il pas reconduire les invités.

Quand elle revint, il était toujours étendu sur le dos, les yeux rivés au plafond.

« Qu'as-tu donc ?... Cela va plus mal ?

— Oui. »

Elle secoua la tête, prit un siège.

« Sais-tu, *Jean*, que je suis en train de me demander s'il ne vaudrait pas mieux faire venir Lestchetitzki chez nous... »

Ah ! ah ! cela voulait dire qu'on acceptait de déranger une « lumière » et de ne pas regarder à la dépense. Ivan Illitch sourit sardoniquement et dit :

« Non. »

Praskovia Fédorovna attendit quelque temps encore, s'approcha de lui et l'embrassa au front.

Comme elle faisait cela, Ivan Illitch sentit qu'il

la haïssait du fond de son âme et dut se maîtriser pour ne pas la repousser.

« Adieu. Tu dormiras peut-être.

— Oui. »

CHAPITRE VI

IVAN ILLITCH voyait qu'il se mourait et se trouvait dans un état de désespoir perpétuel.

Il savait qu'il allait passer, mais ne pouvait se faire à cette idée, l'admettre, la comprendre.

La *Logique* de Kiesemetter lui avait appris ce syllogisme : « Caius est un homme, tous les hommes sont mortels, donc Caius est mortel. » Mais il n'avait jamais voulu le prendre à son compte, jugeant que ce raisonnement, applicable à Caius, ne valait rien pour lui-même.

Caius était un homme, un homme en général, et le syllogisme se révélait impeccable. Seulement, Ivan Illitch n'était point Caius, ni un homme en général : durant toute sa vie, il s'était considéré comme un être exceptionnel, différent de tous les autres. Lui, il était Vania, entouré de maman, de papa, de Mitia, de Volodia, de ses jouets, du cocher, d'une nourrice, puis de Katia, de toutes les joies, les déceptions et les ravissements de l'enfance, de l'adolescence et de la jeunesse !... Cette bonne odeur de cuir de la balle multicolore qu'aimait tant Vania, Caius la connaissait-il ?... Avait-il baisé la main de sa mère et perçu le chuchotement soyeux de sa robe ?... S'était-il révolté, à l'école de droit, pour des gâteaux ?... Avait-il aimé ?... Savait-il présider une séance avec un tact aussi parfait ?...

« En effet, Caius est mortel. Il faut qu'il meure. C'est la loi. Mais moi, moi, Vania, moi, Ivan Illitch, avec toutes mes pensées, toutes mes sensations, n'est-ce pas autre chose ? Il est impossible que je doive mourir. Ce serait trop affreux ! »

Voilà donc à quoi songeait Ivan Illitch.

« S'il fallait que je meure, comme Caius, je le saurais, une voix intérieure me l'aurait crié... Mais non, je n'observe rien, mais rien de tel. Je sais parfaitement, et tous mes amis savent que nous sommes différents de Caius... Or, voilà que tout change ?... Ce n'est pas possible !... Ce n'est pas possible et pourtant cela est !... Comment ça ?... Que dois-je penser ?... »

N'y pouvant rien comprendre, il s'efforçait de chasser cette idée fausse, illogique, morbide, et de lui substituer d'autres idées, saines et normales. Mais la réalité ne voulait point démordre et se dressait obstinément devant lui.

Il appelait d'autres idées à la rescousse, en quête de secours, essayait de penser à tout ce qui, jusque-là, s'était interposé entre lui-même et la notion de mort. Mais, fait singulier, toutes les digues de jadis étaient rompues ou, du moins, se révélaient inefficaces.

A présent, Ivan Illitch s'efforçait de rétablir les circuits de sentiments qui, jadis, l'empêchaient de penser à la mort. Ou bien, il se disait :

« Je vais travailler : je vivais bien de cela, dans le temps... »

Aussitôt, il se rendait au palais, croyant avoir

chassé tous les doutes. Parvenu à destination, Ivan Illitch engageait une conversation avec des collègues, s'asseyait à sa place, promenait un regard rêveur et distrait sur la foule, selon une vieille habitude, posait ses mains maigres et sèches sur les bras du fauteuil de chêne, se penchait vers son voisin en déplaçant un dossier, lui chuchotait quelques mots à l'oreille, relevait soudain la tête, redressait le torse, prononçait les paroles d'usage et ouvrait l'audience.

Mais soudain, au beau milieu de l'affaire, indifférente à son évolution, la maudite douleur au côté reprenait *son* œuvre corruptrice. Ivan Illitch l'observait, puis tâchait de la chasser, mais la douleur ne voulait point démordre et, en fin de compte, *l'autre* se dressait en personne devant le condamné, le dévisageait. Ivan Illitch demeurait comme pétrifié ; la flamme s'éteignait dans son regard et de nouveau, il se demandait : se peut-il qu'*elle* soit la seule vérité ?...

Ses collègues et ses subalternes, stupéfaits, navrés, s'apercevaient que l'éblouissant juriste d'autrefois commettait bévue sur bévue, embrouillait inextricablement l'affaire.

Ivan Illitch se secouait, se reprenait, menait l'audience à bon port, cahin-caha, rentrait chez lui déçu : l'état judiciaire ne lui dissimulait plus ce qu'il aurait voulu se cacher ; l'état judiciaire ne le débarrassait plus d'*elle*... Et, pis encore, *elle* ne l'appelait point pour un acte, une action, mais seulement pour qu'il la regardât droit dans les yeux et souffrît atrocement.

Pour échapper à cette hantise, Ivan Illitch inventait d'autres dérivatifs, d'autres consolations, d'autres paravents. Il les trouvait, mais pour trop peu de temps. Ce n'étaient pas qu'ils s'écroulassent, oh, non ! ils devenaient diaphanes, transparents, comme si *elle* savait passer à travers n'importe quoi, comme si rien ne pouvait *la* masquer !

Quelquefois, il entrait au salon, aménagé par lui, dans ce salon où il était tombé du haut de l'escabeau, qui lui avait coûté la vie, puisque sa maladie était une conséquence de la chute, se disait-il... Soudain, il remarquait une éraflure sur la table vernie, cherchait d'où elle venait, découvrait un album de photographies, dont le coin métallique, malencontreusement recourbé, avait fait tout le mal. Alors il s'emparait de l'album (un souvenir précieux, car il l'avait rempli lui-même avec amour), maudissait la négligence de sa fille et de ses amis : il y avait des pages arrachées, des photos retournées !... Ivan Illitch remettait tout en ordre et redressait la bordure métallique.

Ensuite, il se disait qu'il fallait transporter tout cet *établissement* [1] et les albums dans un autre coin de la pièce, près des fleurs, appelait le domestique ; Praskovia Fédorovna ou Lison accourait à la rescousse. Ces dames n'étaient pas de son avis ; Ivan Illitch discutait, s'échauffait, se fâchait. Et cependant, tout allait pour le mieux, puisqu'il ne pensait plus à *elle*, ne *la* voyait pas... En fin de compte, il déplaçait le meuble, mais sa femme l'arrêtait :

« Laisse ça aux domestiques : tu vas encore te faire du mal... »

Aussitôt, il *l'*apercevait à travers le paravent. Certes, il espérait encore qu'*elle* disparaîtrait comme *elle* était venue... Mais non, son côté lui fait mal :

1. En français dans le texte.

elle est là, il ne peut *l'*oublier... *Elle* le regarde par-dessus les fleurs...

A quoi bon tout cela ?

« Et dire que j'ai accroché ma vie à ce rideau, que je l'ai perdue ici, comme le soldat qui se lance à l'attaque !... C'est stupide et affreux !... Impossible !... Impossible, mais cela est !... »

Il retournait dans son cabinet, s'allongeait, demeuré seul à seul avec *elle*... Ivan Illitch *la* regardait et ne pouvait rien faire... rien que *la* regarder, glacé d'épouvante...

CHAPITRE VII

CELA se produisit durant le troisième mois de la maladie d'Ivan Illitch.

Comment ?... Pourquoi ?... Personne n'en savait rien, car la progression du mal était trop lente, continue, égale, imperceptible pour qu'on pût poser des repères. Le fait est que, soudain, sa femme, sa fille, son fils, les domestiques, les amis, les médecins, lui-même surtout, bref, tout le monde se rendit compte que toutes les questions qu'on pouvait se poser à propos d'Ivan Illitch, tout l'intérêt qu'il inspirait à ses semblables se réduisait à ceci : allait-il bientôt faire place nette, débarrasser son entourage du poids de sa présence, se délivrer de son propre supplice ?...

Il dormait de moins en moins. On lui faisait prendre de l'opium et on le piquait à la morphine. Rien ne le soulageait. Cette sorte de stupeur obtuse et chagrine, qu'il éprouvait dans son demi-sommeil artificiel, lui fit quelque bien au début, mais bientôt il s'y accoutuma, et elle devint encore plus intolérable que la souffrance physique.

On lui préparait une nourriture spéciale, conformément aux instructions du médecin, mais cette nourriture lui semblait de plus en plus insipide et lui soulevait le cœur.

Des dispositions avaient été prises pour la défécation, et chaque fois, Ivan Illitch était au supplice, à cause de la malpropreté, de l'indécence de la chose, à cause de l'odeur et du sentiment qu'un autre homme devait être là et l'aider.

Fait singulier, cette procédure, désagréable entre toutes, finit par apporter à Ivan Illitch la plus claire de ses consolations.

C'était l' « homme à tout faire » Guérassime qu'on avait chargé de nettoyer après lui. Guérassime était un grand diable de moujik, frais et rose, engraissé au service de ses maîtres, toujours gai, souriant, d'excellente pâte. Les premiers temps, Ivan Illitch fut gêné que ce gaillard, toujours si proprement vêtu à la russe, prît soin de ses excréments.

Un jour, en quittant le bassin, il n'avait pas eu la force de relever son pantalon, s'était effondré dans un fauteuil et contemplait avec horreur ses cuisses nues, impuissantes, aux muscles nettement dessinés.

Le gros Guérassime pénétra dans la pièce sur ces entrefaites, répandant autour de lui une bonne odeur d'hiver et de poix, qui émanait de ses bottes noires. Sa démarche était légère et vigoureuse, il arborait un tablier tout propre et une chemise d'indienne, dont les manches se retroussaient sur des bras jeunes et forts. Sans regarder Ivan Illitch (et en modérant, sans doute pour ne pas offusquer le malade, l'insolente joie de vivre qui éclatait sur son visage), il s'approcha du bassin.

« Guérassime ! » prononça faiblement le maître. Le domestique tressaillit, se demandant s'il avait commis quelque bévue, puis tourna vers Ivan Illitch sa face bonne, fraîche, fruste, où la barbe poussait à peine.

« Oui, monsieur.

— Ça doit te dégoûter... Excuse-moi... Je ne peux faire autrement.

— Allons donc, monsieur ! (Les yeux du domestique étincelèrent, il découvrit ses dents, jeunes et blanches)... C'est pas grand-chose !... Vous êtes malade, pas ? »

Il s'acquitta adroitement de sa besogne habituelle et sortit d'une démarche légère. Au bout de cinq minutes, il était de retour.

Ivan Illitch demeurait prostré dans son fauteuil.

« Guérassime ! dit-il, après que l'autre eut remis en place le bassin déjà propre... Guérassime, aide-moi, viens par ici... Tiens, soulève-moi. Je n'y arrive pas tout seul, et j'ai renvoyé Dmitri... »

Guérassime s'approcha, l'entoura de son bras doux et vigoureux, le souleva, le soutint, arrangea son pantalon et voulut le faire asseoir, mais Ivan Illitch lui demanda de l'aider à marcher jusqu'au divan. Le domestique le porta presque, sans effort, et déposa son fardeau.

« Merci... Tu fais cela... si bien... si adroitement... »

Guérassime sourit et fit mine de se retirer. Mais

Ivan Illitch était trop bien avec lui et ne voulait pas le laisser partir.

« Ecoute-moi, Guérassime : approche-moi cette chaise, veux-tu... Non, non, ici, sous le pied... Je me sens beaucoup mieux quand mes pieds sont surélevés. »

Guérassime apporta la chaise, la posa sans bruit, y plaça les pieds de son maître. Ivan Illitch eut l'impression d'avoir éprouvé un vif soulagement au moment où le domestique avait soulevé haut ses jambes.

« Plus ils sont haut, et mieux je me sens, expliqua-t-il... Tiens, mets-moi ce coussin sous les pieds... »

Guérassime s'exécuta, souleva encore une fois les jambes de son maître et les posa sur le coussin. Et de nouveau, Ivan Illitch crut éprouver un net sentiment de réconfort. Quand ses pieds reposèrent sur le coussin, la douleur redevint plus vive.

« Guérassime, tu es très pris en ce moment ?...

— Non, monsieur, répondit le moujik (ses collègues, à l'office, lui avaient appris à s'exprimer civilement).

— Que te reste-t-il encore à faire ?

— Ce qui me reste encore à faire ?... Ma foi, tout est fait, sauf qu'il faut couper du bois pour demain.

— Alors, tiens-moi les pieds levés bien haut... Tu le peux ?

— Oui, monsieur : pourquoi pas ? »

Il lui souleva les jambes, et Ivan Illitch eut l'impression de ne plus ressentir la moindre douleur.

« Et le bois ?

— Ne vous inquiétez pas, monsieur. On aura toujours le temps de s'en occuper. »

Ivan Illitch demanda à Guérassime de s'asseoir,

de lui tenir les pieds et se mit à bavarder avec lui.

Singulier phénomène : il lui semblait toujours que la souffrance cessait tant que le domestique le tenait dans cette posture.

Depuis ce jour, il lui arriva plus d'une fois de convoquer Guérassime pour qu'il lui tînt les pieds posés sur ses épaules et de bavarder avec lui. Le domestique s'exécutait de bonne grâce, avec une simplicité, une bonté, une indulgence qui touchaient profondément Ivan Illitch. Chez tous les autres membres de son entourage, la vie, la joie de vivre, la vigueur et la santé froissaient le moribond, mais la jeunesse et l'énergie de Guérassime le consolaient, le rassérénaient.

Rien ne le faisait souffrir comme le mensonge, ce mensonge généralement admis et adopté qu'il était malade, mais point mourant, qu'il lui suffisait de se soigner, de rester tranquille, pour que tout s'arrangeât pour le mieux. Et cependant Ivan Illitch se rendait parfaitement compte que les soins médicaux ne pouvaient avoir qu'un résultat : des douleurs artificiellement entretenues et la mort... A quoi bon mentir, à quoi bon lui cacher ce qu'il n'ignorait pas, ce que nul n'ignorait, pourquoi lui faire jouer de force cette comédie et lui dissimuler la gravité de son état ?...

Le mensonge... Un mensonge commis aux approches du terme fatal, un mensonge qui devait ravaler l'instant solennel de la mort au niveau de leurs visites, de leurs réceptions, de leurs rideaux, de l'esturgeon qu'on servait à dîner !... Rien ne tourmentait Ivan Illitch comme cette ridicule fausse monnaie.

Et, fait étrange, plus d'une fois, en les voyant

jouer à leur jeu de dupes, il avait été sur le point de leur crier :

« Assez de mensonges !... Vous savez que je me meurs, et je le sais autant que vous !... Cessez donc de mentir !... »

Mais jamais il n'avait eu le courage de le faire. Oh ! il le voyait bien, tous ceux qui l'entouraient avilissaient de leur mieux le phénomène horrible de sa mort, en faisaient une tracasserie ou même quelque chose d'indécent (on le considérait un peu comme cet homme qui dégage une mauvaise odeur, en pénétrant dans un salon), contraire aux règles de cette bienséance, de ce « comme il faut », dont, toute sa vie, il avait été un adepte fidèle. Personne n'avait pitié de lui, pour la bonne raison que nul ne voulait comprendre son état.

Guérassime seul le comprenait et le plaignait. Voilà pourquoi Ivan Illitch n'était bien qu'avec son domestique, quand ce dernier, des nuits entières, tenait ses pieds sur les épaules et refusait de partir, en disant :

« Ne vous inquiétez pas, Ivan Illitch, moi, j'aurai toujours le temps de dormir... »

Ou bien, soudain, le tutoyant, il ajoutait :

« T'es malade, pas ?... Alors, pourquoi qu'on t'aiderait point ?... »

Guérassime seul ne mentait pas, comprenait la réalité des choses, ne jugeait pas utile de se cacher et plaignait tout bonnement son maître qui s'en allait.

Un soir même, il déclara tout de go à Ivan Illitch, qui le renvoyait :

« Nous mourrons tous un jour, pas ?... Alors, pourquoi ne pas essayer de rendre service ?... »

Ainsi donc, sa besogne ne lui pesait pas précisément parce qu'il l'accomplissait au profit d'un moribond et espérait qu'un jour quelqu'un ferait de même pour lui...

Après ce perpétuel mensonge (et peut-être par suite de ce mensonge), le tourment le plus pénible pour Ivan Illitch était de se rendre compte qu'on ne le plaignait pas comme il l'aurait voulu. A certains moments, à l'issue d'interminables accès de souffrances physiques, Ivan Illitch aurait préféré qu'on s'apitoyât sur lui comme sur un enfant malade, qu'on l'embrassât avec des larmes, de même qu'on caresse et réconforte les tout-petits... Oh ! certes, ce n'était pas possible, puisque Ivan Illitch était un « gros bonnet » à la barbe grisonne, et cependant, il y tenait.

Or, il y avait quelque chose d'analogue dans ses rapports avec Guérassime, et cela le consolait...

Ivan Illitch aurait voulu pleurer sur lui-même et qu'on pleurât sur lui avec des gestes affectueux, mais ne voilà-t-il pas que son collègue Chebek vient lui rendre visite et qu'au lieu d'être dorloté, Ivan Illitch fait une mine grave, sévère et compassée, exprime, par la force de l'inertie, son avis à propos d'une sentence de la cour de Cassation, le défend âprement...

Oh ! rien n'empoisonnait ses derniers jours de vie comme ce mensonge qui l'entourait de toutes parts.

CHAPITRE VIII

LE matin.

Du moins, Ivan Illitch se rend compte que c'est le matin parce que Guérassime s'est retiré, cédant la place à Piotr, le laquais, qui souffle les flambeaux, tire l'un des rideaux et se met en devoir de tout ranger sans faire de bruit.

Matin, soir, vendredi, dimanche — qu'importe ? Les semaines, les jours, les heures se suivent, monotones, indifférents, car il n'y a plus rien au monde, pour Ivan Illitch, que cette douleur qui ne relâche pas un instant ; la conscience de la vie qui s'en va lentement, mais n'est pas encore partie ; l'approche de la mort, seule réalité, horrible, détestée ; et puis, ce perpétuel mensonge !... Qu'importent donc les jours, les semaines et les heures ?...

« Monsieur veut-il du thé ? »

« Ah ! ah ! il connaît la bonne règle, et selon cette règle, il faut que les maîtres prennent du thé le matin ! » songe Ivan Illitch, qui réplique :

« Non !

— Monsieur ne veut-il pas venir s'allonger sur son divan ? »

« Ah ! ah ! Il faut qu'il fasse son ménage, et moi, je le gêne ; je suis la saleté, le désordre !... » se dit encore Ivan Illitch, qui répond seulement :

« Non, laisse-moi. »

Le larbin farfouille quelque temps dans la pièce. Ivan Illitch tend la main. Piotr s'empresse d'approcher, serviable.

« Monsieur désire ?

— Ma montre. »

Piotr sort la montre, qui se trouve sous la main de son maître, et la lui remet.

« Huit heures et demie... Ils ne sont pas encore levés ?

— Non, monsieur... Vassili Ivanovitch (c'était le fils d'Ivan Illitch) vient de partir pour son collège, et madame a demandé qu'on la réveille si monsieur le désire... Faut-il réveiller madame ?

— Non, inutile... (« Si j'essayais de prendre le thé ? »)... Ah ! oui, le thé... apporte-m'en. »

Piotr gagne la porte, mais Ivan Illitch a peur de rester seul.

« Sous quel prétexte pourrais-je le retenir ?... Ah ! oui, le médicament... »

« Piotr, passe-moi le médicament ! »

« Après tout, cela me soulagera peut-être... »

Il en prend une cuiller.

« Oh ! non, cela ne me soulagera pas ! Quelle duperie ! » décrète-t-il en reconnaissant la saveur familière, douceâtre et sans espoir.

« Je ne peux plus y croire... Mais la douleur, oh ! la douleur, que ne me laisse-t-elle une seconde de répit !... »

Il se met à geindre. Piotr revient sur ses pas.

« Non, va... Apporte-moi du thé. »

Piotr se retire. Resté seul, Ivan Illitch gémit de plus belle, pas tellement sous l'effet de la douleur physique (du reste intolérable) que d'ennui, de tristesse.

« Toujours la même chose... la même chose... Le

jour... la nuit... interminables... Oh ! vite, vite ! Quoi ?... La mort, les ténèbres... Non, non, tout mais pas la mort ! »

Lorsque Piotr rapporte le plateau avec le petit déjeuner, Ivan Illitch le considère avec des yeux hagards, se demandant longtemps qui il est et ce qu'il veut. Le domestique se trouble, et cette confusion rend ses esprits au maître.

« Ah ! oui... le thé, dit-il... Parfait, mets-le par ici... Aide-moi à m'habiller et passe-moi une chemise propre... »

Ivan Illitch se met en devoir de faire sa toilette. Avec une sensation de répit, il se lave les mains, le visage, les dents, se peigne et se regarde dans la glace. Son image l'effraie : surtout ces cheveux grisonnants qui se plaquent trop bien au front blême.

On lui change sa chemise. Ivan Illitch sait qu'il aura peur s'il regarde son corps : il évite de le faire.

C'est fini. Ivan Illitch passe sa robe de chambre, s'enveloppe dans un plaid, s'installe dans un fauteuil et commence à prendre le thé. L'espace d'une minute, il croit éprouver un soulagement, mais à peine a-t-il absorbé les premières gorgées que la même saveur fétide lui monte à la bouche, et la même douleur lui vrille le flanc. Il vide sa tasse à grand-peine, se couche, étend les pieds, renvoie Piotr.

Toujours la même chose... Une lueur d'espoir qui sombre aussitôt dans un océan de découragement, dont les flots enflent, montent... La douleur, encore la douleur, toujours la douleur... Tristesse et nostalgie sans fin...

Ivan Illitch s'ennuie d'être seul, voudrait appeler quelqu'un, mais sait qu'en présence des autres, il se sentira encore plus mal.

« Au moins une piqûre de morphine pour m'oublier... Il faudra que je demande au médecin d'inventer quelque chose. Cela ne peut durer ainsi, oh ! non... »

Une heure passe, puis une autre. On sonne dans l'antichambre... Peut-être le docteur ?... C'est bien lui, frais, dodu, gaillard, jovial, avec une mine qui semble dire : « Ah ! ah ! vous avez eu peur de quelque chose... Ne vous en faites pas, nous allons arranger ça en un clin d'œil ! »

Le médecin n'ignore point que pareil air n'est pas de mise ici, mais il l'a adopté une fois pour toutes, le revêt et l'enlève comme un homme qui endosse son frac dès le matin pour aller faire des visites.

Le voilà qui se frotte les mains avec entrain.

« Je suis gelé. Il fait un froid de canard. Laissez-moi me réchauffer », déclare-t-il, comme s'il disait : « C'est l'affaire de quelques secondes, il suffit que j'aie un peu plus chaud — tout est là ! — et alors l'affaire sera dans le sac ! »

« Et alors, où en sommes-nous ? »

Ivan Illitch se rend compte que le médecin avait voulu dire : « Comment vont les petites affaires ? », mais s'en est abstenu par souci de bienséance. Au lieu de cela, il ajoute :

« Comment avons-nous dormi ? »

Ivan Illitch considère le docteur d'un air surpris :

« Hé quoi, tu n'auras jamais honte de mentir ? »

Mais l'autre n'a pas l'air d'entendre la question.

Et le patient répond :

« Très mal, comme d'habitude. La douleur ne cesse pas. Faites quelque chose, docteur !

— Oh ! vous autres malades, vous êtes tous les mêmes... Là, mes mains ne sont plus aussi froides...

Je crois que notre méticuleuse Praskovia Fédorovna elle-même ne trouverait plus rien à redire à ma température... Bonjour ! »

Ils se serrent la main.

Renonçant à son enjouement, le médecin commence d'ausculter gravement son malade, prend le pouls, la température, palpe, percute...

Ivan Illitch sait pertinemment qu'on le trompe et se trompe, mais lorsque le praticien s'agenouille devant lui, se penche sur son corps, appuie l'oreille plus haut, plus bas, se livre enfin à toute une savante gymnastique, d'un air imperturbable, Ivan Illitch, dis-je, se laisse convaincre, exactement comme autrefois il lui arrivait de prendre au sérieux la plaidoirie d'un avocat, bien qu'il sût pertinemment que l'homme mentait et avait de bonnes raisons de le faire...

Agenouillé sur le divan, le praticien est toujours en train de percuter Dieu sait quoi, quand on perçoit le froissis de la robe de Praskovia Fédorovna, sur le pas de la porte. La brave dame fait des reproches à Piotr, qui a omis de lui annoncer la visite du docteur.

Elle entre, embrasse son mari et veut lui prouver à toute force qu'elle est sur pied depuis longtemps, que seul un malentendu l'a empêchée de recevoir le docteur.

Ivan Illitch la considère, la dévisage, la toise. Il lui en veut pour la blancheur de son teint, la propreté dodue de ses mains, de son cou, le soyeux de ses cheveux, l'éclat de son regard où pétille la vie. Il la déteste cordialement, du fond de son âme. Et quand elle le touche, il sent sa haine décupler.

Les sentiments de Praskovia Fédorovna à l'égard du malade et sa conduite n'ont pas évolué : de même que le médecin a mis un masque qu'il ne peut plus enlever, la brave dame, une fois pour toutes, a adopté une pose et ne veut s'en défaire. Ivan Illitch ne fait pas ce qu'il devrait faire ; tout ce qui arrive est de sa faute, et son épouse aimante le lui reproche affectueusement.

« Oh ! il ne veut rien entendre et ne prend jamais ses médicaments à l'heure !... Et surtout, il se couche dans une position qui ne peut évidemment que lui faire du mal : les pieds en l'air ! »

Là-dessus, elle relate au médecin de quelle façon Guérassime est obligé de soutenir les jambes d'Ivan Illitch.

Le docteur sourit avec une indulgence méprisante :

« Que voulez-vous, chère madame, semble-t-il dire, ces malades vous ont parfois de drôles d'idées... Mais il faut leur pardonner... »

Ayant fini d'ausculter le malade, le médecin consulta sa montre. Praskovia Fédorovna déclara à son époux qu'envers et contre lui, elle avait invité ce jour-là un éminent médecin, qui allait l'examiner de concert avec Mikhaïl Danilovitch (tel était le nom du docteur non éminent) et voir ce qu'il y avait à faire.

« Surtout, ne proteste pas ! Je fais cela pour moi », conclut-elle sur le mode ironique, pour lui faire sentir qu'en réalité elle n'agissait ainsi que dans son propre intérêt à lui et que, par conséquent, il n'avait pas le droit de se rebiffer.

Ivan Illitch ne souffla mot et fit la grimace. Il se rendait compte que le mensonge l'enveloppait dans un filet tellement embrouillé qu'il n'était plus question de s'en dépêtrer.

Tout ce qu'entreprenait Praskovia Fédorovna, elle le faisait pour elle, en prenant soin de l'annoncer de telle sorte à son mari que ce dernier, bon gré mal gré, fût obligé de mettre en doute ses allégations et de comprendre le contraire.

En effet, l' « éminence » arriva vers onze heures et demie.

Auscultation, palpation, percussion... Les deux praticiens se retirent à côté et se lancent dans des palabres où rein et appendice reviennent périodiquement. Et de nouveau, à la question de vie ou de mort ne substitue la querelle du rein et de l'appendice, qui n'ont pas été sages, que Mikhaïl Danilovitch et son illustre collègue vont prendre à la gorge et corriger de belle façon, afin de leur apprendre à vivre !

La « lumière » prit congé d'un air compassé, mais nullement désespéré. Comme Ivan Illitch levait vers elle un regard où l'espoir succédait à la crainte et lui demandait s'il avait la moindre chance de s'en tirer, l' « éminence » répliqua qu'elle ne répondait de rien, mais qu'enfin tout était possible.

Ivan Illitch suivit le médecin d'un œil rempli d'espoir, tellement pitoyable que Praskovia Fédorovna ne put s'empêcher de fondre en larmes, quand elle passa dans la pièce voisine pour régler les honoraires de la « sommité ».

Hélas ! l'optimisme du moribond fut de courte durée... La même chambre... les tableaux... les papiers aux murs... les fioles pharmaceutiques... le même corps douloureux, épuisé... Ivan Illitch recommença de geindre. On lui fit une piqûre, et il perdit conscience.

Quand il revint à lui, la nuit tombait déjà. On lui servit à dîner. Il prit du bouillon, à contrecœur... Encore la nuit...

Après le repas, sur le coup de sept heures, Praskovia Fédorovna entra dans la chambre, en robe du soir, ses gros seins fortement comprimés, des traces de poudre sur le visage. Le matin déjà, elle lui avait rappelé que la famille avait l'intention d'aller au théâtre : Sarah Bernhardt était en tournée pour une série de représentations, et Ivan Illitch avait insisté lui-même pour qu'on louât une loge. Maintenant, il l'avait oublié, et la toilette de sa femme le choquait. Néanmoins, s'étant souvenu que lui-même avait instamment recommandé de conduire les enfants au spectacle, pour leur procurer une joie esthétique et hautement instructive, Ivan Illitch avala la couleuvre.

Praskovia Fédorovna entra, satisfaite d'elle-même mais légèrement confuse, prit un siège, s'informa de la santé du malade (pure formule de politesse de sa part, car il ne pouvait y avoir rien de nouveau) et se mit à dire précisément ce qu'il fallait qu'elle dît. Bien sûr, elle aurait préféré rester à la maison, mais les places étaient déjà retenues ; de toute façon, Hélène, Lison et Petristchev (le juge d'instruction, fiancé à Mlle Golovine) allaient au théâtre, et l'on ne pouvait les laisser seuls. Praskovia Fédorovna aurait tellement mieux aimé passer la soirée avec son époux. Enfin, il devait lui promettre d'exécuter sagement toutes les prescriptions du médecin...

« Fédor Pétrovitch (le promis) voulait te voir. Peut-il entrer ?... Et Lise ?...

— Qu'ils viennent. »

La fille entra, en grande toilette, largement décolletée. Son corps jeune, ce corps qui faisait tellement souffrir Ivan Illitch, elle l'exposait insolemment. Saine, forte, vigoureuse, amoureuse sans aucun doute, elle en voulait à la maladie, à la souffrance, à la mort, qui faisaient obstacle à son bonheur.

Fédor Pétrovitch entra également, en frac, frisé *à la Capoul,* son cou long et veineux étroitement enrobé dans un col d'éclatante blancheur, bombant une poitrine énorme et blanche, exhibant de fortes cuisses gainées de drap noir, un gant blanc et le chapeau claque à la main.

Le malheureux petit collégien se faufila derrière lui, vêtu d'un uniforme flambant neuf, ganté de blanc, avec, sous les yeux, de gros cernes bleus dont Ivan Illitch connaissait trop bien la signification. Son fils lui avait toujours semblé pitoyable. Et son regard épouvanté, compatissant, lui faisait peur. Hormis Guérassime, Vassia paraissait être le seul membre de son entourage qui comprît Ivan Illitch et s'apitoyât sur lui.

Tout le monde prit place, s'informa de la santé du moribond. Il y eut un silence. Lison questionna sa mère à propos des jumelles. Une querelle s'amorça entre les deux femmes : il s'agissait de savoir qui les avait égarées. Ce fut répugnant.

Fédor Pétrovitch demanda à Ivan Illitch s'il avait jamais vu jouer Sarah Bernhardt. Sur le coup, le malade ne comprit pas la question, ensuite, il répondit :

« Non... Et vous ?

— Je l'ai déjà vue dans *Adrienne Lecouvreur.* »

Praskovia Fédorovna plaça que la grande comédienne était particulièrement bonne dans le rôle de... Lison répliqua. On se mit à échanger des propos sur l'élégance du jeu et le réalisme... Les mêmes propos que d'habitude.

Au beau milieu de la conversation, Fédor Pétrovitch lança un coup d'œil à Ivan Illitch et se tut. Les autres l'imitèrent. Le malade fixait droit devant lui un regard étincelant, visiblement indigné. Il fallait arranger cela, mais ce n'était plus possible. Il fallait coûte que coûte rompre le silence. Personne n'avait le courage de s'y résoudre, car chacun craignait de voir démasqué le courtois mensonge, car chacun avait peur de voir clair. Lise, la première, se décida à prendre la parole. Elle voulut dissimuler ce que tous éprouvaient, mais involontairement se démasqua.

« Il est temps de partir, *si nous y allons* », dit-elle en consultant sa montre (un cadeau d'Ivan Illitch) et adressant un sourire complice à son fiancé.

Elle quitta sa place dans un frou-frou de soie.

Les autres se levèrent, prirent congé et se retirèrent.

Après leur départ, Ivan Illitch crut se sentir mieux. Le mensonge s'en était allé — ils l'avaient emporté. Mais la douleur, elle, était toujours bien là, toujours la même. La souffrance physique et l'angoisse demeuraient sans remède. Etait-il vraiment mieux ?... Oh ! non, non ! Tout allait de mal en pis !

De nouveau, les minutes succédèrent aux minutes, et les heures aux heures... Et le terme toujours plus proche, plus effrayant...

« Oui, envoyez-moi Guérassime », répondit-il à une question de Piotr.

CHAPITRE IX

Praskovia Fédorovna ne revint à la maison qu'à une heure avancée de la nuit. Ivan Illitch l'entendit entrer chez lui sur la pointe des pieds, ouvrit les yeux et s'empressa de les refermer. Elle voulait renvoyer Guérassime et tenir compagnie à son mari. Il releva les paupières et prononça :

« Non. Retire-toi.

— Tu souffres beaucoup ?

— Peu importe.

— Prends de l'opium. »

Il accepta. Elle s'éloigna.

Jusque vers les trois heures, il demeura dans un état de douloureuse prostration. Il lui semblait qu'on voulait à toute force le faire entrer dans un sac noir, profond et étroit, mais sans succès. Et cette horrible entreprise le faisait souffrir. Il avait peur, cherchait lui-même à se glisser dans le sac, se faufilait, aidait ses bourreaux. Un faux mouvement suivi d'une chute le fit revenir à lui.

Assis au pied du lit, Guérassime somnole paisiblement, patiemment. Ivan Illitch est étendu sur le dos, et ses jambes décharnées, gainées de noir, reposent sur les épaules du domestique... La même veilleuse sous un abat-jour... la même souffrance qui ne faiblit point...

« Guérassime, va-t'en, murmura-t-il.

— Ce n'est rien, monsieur, j'attendrai.

— Non, va-t'en. »

Il enleva les pieds, s'allongea sur le bras, de côté, et se prit en pitié.

Après avoir attendu le départ de Guérassime, il ne put se retenir et fondit en larmes, comme un enfant. Il pleurait sur son impuissance, son affreuse solitude, la cruauté des hommes, la cruauté de Dieu, l'absence de Dieu.

« Pourquoi as-tu fait cela ?... Pourquoi m'avoir envoyé ici ?... Pourquoi me tourmenter ?... »

Il n'attendait point de réponse et sanglotait précisément parce qu'il ne pouvait y avoir de réponse.

La douleur s'aviva, mais il ne fit pas un geste, n'appela personne. Il se disait seulement :

« Vas-y, vas-y, tape, cogne !... Mais pourquoi ?... Que t'ai-je fait ?... Pourquoi ?... »

Puis il se tut, s'arrêta de pleurer, de respirer même, devint tout attention, comme s'il ne guettait pas seulement la voix qui parlait, mais encore les voix de l'âme et les associations d'idées qui se faisaient jour en lui.

« Que veux-tu ? »

Telle fut la première interrogation traduisible en paroles qu'il perçut distinctement.

« Que veux-tu ?... Que te faut-il ? répéta Ivan Illitch... Quoi ?... Ne plus souffrir ?... Je veux vivre ! » répondit-il.

Et de nouveau, il épia, tellement attentif que la douleur ne pouvait plus le distraire.

« Vivre ?... Vivre comment ? demandait la voix de l'âme.

— Comme toujours, comme j'ai vécu par le passé... Vivre bien, agréablement.

— Comme tu as vécu par le passé ?... Vivre bien et agréablement ? » reprit la voix.

Et Ivan Illitch se remémora les minutes les plus douces de son existence. Cependant, fait singulier, elles ne lui semblaient plus aussi heureuses qu'autrefois. Seule l'enfance trouvait grâce : elle seule valait d'être vécue si la vie revenait. En même temps, Ivan Illitch s'apercevait qu'il n'était plus le même homme, que tous ses souvenirs avaient trait à un autre, mais pas à lui.

Aussitôt qu'il abordait la période qui avait abouti à son état actuel, toutes les joies de jadis fondaient comme neige au soleil, paraissaient mesquines, voire vilaines...

Et plus il s'éloignait de l'enfance pour se rapprocher du présent, plus ses satisfactions lui semblaient douteuses, insignifiantes.

Cela datait de l'école de droit... Là-bas encore, il connaissait l'allégresse, l'amitié, l'espérance. Cependant, dès les classes supérieures, ces instants de joie étaient devenus de plus en plus rares... Durant les premiers temps de son service auprès du gouverneur, il y avait eu des sursauts de bonheur... l'amour d'une femme... Ensuite, tout s'était fondu, mélangé, corrompu... Moins de joie à mesure qu'il avançait en âge...

Le mariage... Un mariage improvisé et décevant. L'haleine lourde de sa femme, sensualité et affectation !... La monotonie mortelle de la chose judiciaire, les incessants soucis d'argent... Un an, deux ans, dix ans, vingt ans... toujours la même chose !... De moins en moins de vie. Comme s'il avait régulièrement dévalé la pente qu'il croyait gravir ! Mais oui, c'était bien cela.

« J'ai poursuivi mon ascension dans l'opinion publique, mais j'y ai perdu mon essence vitale, je l'ai laissée couler... Et maintenant, vas-y, meurs !...

« Qu'est-ce que cela signifie ?... Pourquoi ?... Ce n'est pas possible !... Il ne se peut pas que la vie soit aussi laide, stupide !... Et, si elle l'est vraiment, à quoi bon mourir, à quoi bon mourir dans les affres ?... Il y a là quelque chose qui ne va pas.

« Peut-être n'ai-je pas vécu comme je devais vivre ? se demanda-t-il soudain... Allons donc, j'ai fait tout ce que j'avais à faire ! » répliqua-t-il aussitôt, chassant l'unique, mais impossible solution du problème de la vie et de la mort.

« A présent, que veux-tu ?... Vivre ?... Vivre comment ?... Comme tu vis à l'audience, quand l'huissier annonce : « Messieurs, la Cour ! »... La cour... La cour... Ah ! ah ! la voilà ! Les juges !... Mais je ne suis pas coupable ! s'écria-t-il avec colère... Que vous ai-je fait ?... »

Il s'arrêta de pleurer, tourna son visage contre le mur et se prit à méditer, toujours la même chose : pourquoi, pourquoi toute cette horreur ?

Point de réponse. Et quand l'idée lui venait (oh ! elle lui venait souvent) qu'il avait mal vécu, il se souvenait de la parfaite régularité de son existence et chassait promptement la singulière pensée.

CHAPITRE X

DEUX semaines s'écoulèrent encore. Ivan Illitch ne quittait plus son divan. Il ne voulait pas se mettre au lit et demeurait étendu sur le canapé. Seul, tout seul, face au mur la plupart du temps, il souffrait les mêmes insolubles angoisses et méditait la même pensée sans issue :

« Qu'est-ce donc ?... Serait-ce vraiment la mort ?... »

Et la voix intérieure répondait :

« Oui, oui, c'est elle. »

« Mais pourquoi cette torture ? »

Et la voix intérieure répliquait encore :

« Oh ! comme cela. Pour rien. »

Là-dessus, la borne était atteinte, et il ne pouvait la franchir.

Depuis les premiers temps de sa maladie, depuis sa première visite au médecin, deux courants contraires se partageaient la vie d'Ivan Illitch et se succédaient : l'angoisse, l'attente d'une mort affreuse, inconcevable ; l'espoir et l'examen curieux de l'activité de son organisme. Tour à tour, se dressaient devant lui le rein ou l'appendice récalcitrants, et la mort épouvantable dont rien ne pouvait le sauver.

Ces deux courants, dis-je, s'étaient succédé dès le début du mal. A mesure que la situation s'aggravait, les considérations rénales devenaient de plus en plus fantastiques et sujettes à caution, tandis que l'idée de la mort proche prenait corps.

Il lui suffisait de se rappeler ce qu'il était trois mois auparavant pour qu'aussitôt il se rendît compte qu'il avait régulièrement dévalé la pente et perdît tout espoir.

Tourné contre le mur, seul dans une grande ville, au milieu de parents et d'amis, seul comme on ne peut l'être ni dans les profondeurs sous-marines, ni en aucun point du globe, Ivan Illitch se transportait, par l'imagination, dans son passé. Les visions surgissaient l'une après l'autre. Cela prenait habituellement source dans l'actuel, remontait jusqu'à l'enfance et s'y arrêtait.

Lui avait-on proposé de manger des pruneaux qu'il évoquait aussitôt ceux de son enfance, noirs et ridés, d'une saveur particulière, des pruneaux d'Agen qui vous remplissaient la bouche de salive quand il ne restait plus que le noyau. Ce souvenir en appelait d'autres : la nourrice, le frère, les jouets...

« Mieux vaut ne pas y penser... C'est trop douloureux ! » se disait Ivan Illitch, en se transportant d'un bond dans le présent.

Un bouton sur le divan, le maroquin ridé autour du bouton...

« Le maroquin coûte cher et ne dure pas... Nous nous sommes querellés, du reste, à ce propos... Tout comme l'autre fois, quand nous avons déchiré la serviette de maroquin du père... On nous a punis, et maman nous a apporté des gâteaux... »

Toujours la même obsession de l'enfance. Ivan Illitch avait mal, s'efforçait de chasser la vision, de penser à autre chose...

Mais aussitôt, l'autre courant se mettait en mouvement, parallèlement. Ivan Illitch songeait à sa maladie, à l'aggravation de son état. Plus il remontait loin en arrière, et plus il se découvrait vivant. Plus il y avait de bien dans sa vie, et plus elle était intense. Deux éléments qui se fondaient.

« Les souffrances empirent de même que la vie est allée de mal en pis », se disait-il.

Un point clair, en arrière, tout au loin, au début, une lueur qui s'est obscurcie de plus en plus rapidement.

« Une progression inversement proportionnelle au carré de la distance à la mort », résolut Ivan Illitch.

Et l'image de la pierre, lancée dans le vide et soumise aux lois de l'accélération, se grava dans son âme.

La vie n'était qu'une suite de souffrances croissantes, tendant irrésistiblement vers l'unique solution, la plus douloureuse.

« Je chois dans le vide... »

Il tressaillait, se déplaçait, voulait se défendre, et se rendait compte qu'il fallait se soumettre. Alors, ses yeux, las de regarder mais incapables de ne pas voir, se fixaient sur le dossier du divan. Et il attendait. Il attendait la chute, le coup de grâce, l'anéantissement.

« Impossible de résister, songeait-il, mais si je pouvais seulement comprendre. Or, c'est interdit. J'aurais pu tout expliquer en disant que j'ai mal vécu. Et cela, je refuse de le reconnaître... »

En effet, n'avait-il pas mené une existence décente, régulière, comme il faut ?

« Oh ! non, je ne saurais admettre cela ! protestait-il en ébauchant un sourire, comme si quelqu'un l'avait pu voir et s'y laisser prendre... Il n'y a pas de pourquoi !... La souffrance, la mort... A quoi bon ?... »

CHAPITRE XI

DEUX semaines s'écoulèrent de la sorte.

Elles furent marqués par un événement conforme

aux vœux les plus chers d'Ivan Illitch et de Praskovia Fédorovna : Petristchev fit, à Lise, une demande en mariage selon les règles.

Cela se passa le soir. Le lendemain matin, en entrant chez Ivan Illitch, Praskovia Fédorovna se demandait comment elle allait s'y prendre pour lui annoncer l'heureuse nouvelle, ne sachant pas encore que son état s'était subitement aggravé pendant la nuit. Le moribond était sur son divan, comme d'habitude, mais dans une autre position : il était couché à plat ventre, gémissait et fixait devant lui un regard immobile.

Praskovia Fédorovna essaya de lui parler de ses médecines. Il tourna les yeux de son côté, et elle se tut, tant il y avait de haine dans ce regard, et tout particulièrement envers elle.

« Au nom du Christ, laisse-moi mourir tranquille ! » dit-il.

Elle allait se retirer, quand Lise entra dans la pièce et salua son père. Il la considéra comme il avait considéré sa mère. La jeune fille s'étant informée de sa santé, il lui répliqua sèchement qu'il n'allait plus tarder à les débarrasser de sa présence. Les deux femmes se turent, attendirent un moment, puis s'éloignèrent.

« De quoi sommes-nous coupables ? demanda Lise à sa mère... Comme si tout était notre faute... Bien sûr, j'ai pitié de papa, mais à quoi bon nous faire souffrir ?... »

Le médecin arriva à l'heure accoutumée. A toutes ses questions, Ivan Illitch répondit par « oui » et par « non », sans le quitter d'un regard haineux. En fin de compte, il lui déclara :

« Puisque vous savez ne rien pouvoir pour moi, laissez-moi tranquille.

— Nous pouvons soulager la souffrance, se défendit le docteur.

— Oh ! non, même pas cela !... Laissez-moi tranquille ! »

Le médecin se retira dans le salon pour annoncer à Praskovia Fédorovna que les choses allaient très mal et qu'il ne fallait plus songer qu'à soulager la douleur physique (elle devait être atroce) en faisant prendre de l'opium au moribond.

Il ne se trompait pas en affirmant que la douleur physique était atroce, seulement le tourment moral était mille fois plus grave.

Cette nuit-là, en considérant le visage aux pommettes saillantes de Guérassime, bonasse et ensommeillé, Ivan Illitch s'était dit :

« Et si vraiment toute ma vie, j'entends ma vie consciente, n'a pas été ce qu'elle aurait dû être ?... »

Pour la première fois, il avait conçu l'inconcevable et admis qu'en réalité sa vie pouvait être manquée.

Et il lui vint encore une idée : si toutes ses aspirations imprécises — oh ! terriblement imprécises et fugitives ! — si toutes ses aspirations et ses tentatives de s'opposer à ce que ses supérieurs considéraient comme la chose la meilleure et la plus raisonnable avaient été la seule vérité de sa vie, tout le reste n'étant que mensonge ?... Car son travail, l'organisation de son existence, sa famille, ses intérêts — tout cela pouvait « n'être pas ça ».

Il essaya de plaider sa propre cause et s'aperçut aussitôt combien elle était indéfendable... Du reste, il n'y avait pratiquement rien à défendre !

« Admettons qu'il en soit ainsi, songea-t-il, que je quitte la vie avec la conscience d'avoir gâché tout ce qui m'a été donné... irréparablement gâché... et alors ?... »

Il se mit à plat ventre, examina son passé d'un autre point de vue. Le matin, quand il avait aperçu le laquais, sa femme, sa fille, le docteur, chacun de leurs gestes et chacune de leurs paroles lui avaient confirmé l'effrayante vérité, découverte pendant la nuit. Comme dans un miroir, il s'était vu en eux, avec toute sa vie, et s'était rendu compte que la réalité n'était qu'un monstrueux mensonge, destiné à cacher et la vie et la mort. Cette conviction aggravait ses souffrances physiques, les décuplait. Il gémissait, se débattait, arrachait ses vêtements, qui lui pesaient, l'étouffaient, lui semblait-il. Et, pour cette raison, il haïssait tout son entourage.

On lui fit prendre une forte dose d'opium ; il s'assoupit, mais, à l'heure du dîner, un nouvel accès le terrassa. Il chassait tous ceux qui l'approchaient, ne se trouvait point de place.

Sa femme vint lui dire :

« Jean, chéri, fais cela pour moi (pour elle ?)... Cela ne peut faire de mal, au contraire, quelquefois... Il n'y a pas de quoi se gendarmer, des gens bien portants, eux-mêmes... »

Il ouvrit tout grand les yeux.

« Quoi ?... Communier ?... Pour quoi faire ?... Non, je ne veux pas !... Et puis, tant qu'à faire... »

Elle fondit en larmes.

« Oui, oui !... Je vais faire chercher notre prêtre, il est si bon...

— Parfait, parfait ! » murmura-t-il.

La confession adoucit son cœur et, pour un temps, dissipa ses doutes, soulagea sa souffrance, lui rendit de l'espoir. De nouveau, il se prit à penser à son appendice, à se dire que les choses pouvaient encore s'arranger. Ivan Illitch communia, les yeux embués de larmes.

On le fit mettre au lit. Il se sentit mieux, beaucoup mieux, revint à la vie, songea à l'intervention chirurgicale qu'on lui avait proposé de tenter.

« Vivre, je veux vivre ! » se disait-il.

Sa femme vint le féliciter d'avoir communié, prononça les formules d'usage et ajouta :

« N'est-ce pas que tu te sens mieux ? »

Il souffla « oui ! », sans la regarder.

Ses vêtements, sa silhouette, l'expression de ses traits, le son de sa voix — tout cela lui avait crié à l'unisson :

« C'est faux, c'est faux ! Toute ton existence n'a été qu'un perpétuel mensonge, destiné à masquer les questions de vie et de mort ! »

A peine eut-il pensé cela que derechef une haine intense monta du fond de son cœur, entraînant à sa suite la souffrance physique et la conviction de la fin prochaine.

A présent, il éprouvait de singulières impressions : quelque chose lui vrillait le corps, le perçait de mille traits de feu, l'empêchant de respirer.

L'expression de son visage en murmurant ce « oui » était affreuse. Après avoir regardé sa femme droit dans les yeux, il s'était retourné avec une extraordinaire vigueur, peu compatible, semblait-il, avec son épuisement physique, avait enfoui sa tête dans l'oreiller et hurlé :

« Allez-vous-en !... Allez-vous-en !... Laissez-moi !... »

CHAPITRE XII

Depuis ce moment, et pendant trois jours, il ne cessa plus de crier, et ses hurlements, qu'on percevait à travers deux portes closes, étaient épouvantables. En répondant à sa femme, Ivan Illitch avait compris qu'il était perdu irrémédiablement, que la fin était là, imminente. Et cependant, ses doutes n'étaient point dissipés.

« A ! aa ! ah ! » criait-il sur tous les modes.

Il avait commencé par gémir « je ne veux pas ! » et continuait de traîner la lettre « a ».

Durant trois jours (le temps n'existait plus pour lui), Ivan Illitch se débattit dans le sac noir, où l'enfonçait une force inconnue, irrésistible.

Il se démenait comme le condamné à mort dans les bras du bourreau, sachant pertinemment que rien ne pouvait le sauver. Et, à tout instant, il sentait qu'en dépit de ses efforts, le terme épouvantable était de plus en plus proche. Il était effrayé qu'on l'introduisît dans le sac noir et plus encore de ne pas réussir à y pénétrer. Et c'était la conviction d'avoir bien vécu qui l'empêchait de le faire.

Son propre acquittement le rivait à la vie et le faisait souffrir.

Soudain, il ressentit un choc dans la poitrine, au flanc, sa respiration devint encore plus oppressée, il tomba dans le sac, la tête la première, et, tout au fond, crut apercevoir comme une lueur. Exactement comme en chemin de fer, lorsqu'on croit être assis dans la direction de la marche et qu'on se rend compte soudain de sa véritable position.

« Oui, oui, tout « n'était pas ça », mais peu importe, se dit-il. On peut encore arranger les choses, on peut faire que ce soit « ça »... Mais qu'est-ce donc *ça ?* »

Soudain, il se calma.

Cela se passait à la fin du troisième jour, deux heures avant sa mort.

En cet instant précis, le petit collégien se faufila dans la pièce, à pas de loup, et s'approcha du lit de son père. Le moribond hurlait comme un possédé et faisait de grands gestes. Sa main se posa par mégarde sur la tête du petit collégien. L'adolescent la porta à ses lèvres et fondit en larmes.

Ivan Illitch venait juste de choir dans le sac, de découvrir la petite lueur, de se rendre compte que sa vie avait été manquée, mais qu'on pouvait encore arranger les choses. Il s'était demandé : « Qu'est-ce donc *ça ?* » et s'était tu. Il avait senti qu'on lui baisait la main.

Ivan Illitch ouvrit les yeux et aperçut son fils. Il eut pitié de lui. Praskovia Fédorovna s'approcha du moribond. Il la regarda. La bouche grande ouverte, une larme immobile au bout du nez, une autre sur la joue, elle le considérait avec désespoir. Il eut pitié d'elle.

« Je les fais bien souffrir, songea-t-il... Ils ont pitié de moi, mais il vaut mieux pour eux que je m'en aille : ils seront plus heureux... »

Il voulut dire quelque chose, mais n'en eut point la force.

« Du reste, à quoi bon parler ? Il faut agir », décida-t-il.

Du regard, il désigna le fils à la mère et prononça : « Emmène-le... pitié de lui... pitié de toi... »

Il voulut ajouter « pardon... », mais au lieu de cela, murmura « passons [1]... », n'eut pas le courage de se reprendre et fit un geste vague de la main, sachant que quiconque était capable de comprendre le comprendrait.

Tout à coup, il sentit que ce qui le faisait souffrir et ne voulait pas s'en aller, se vidait de part et d'autre, de tous les côtés. Ivan Illitch avait pitié d'eux et souhaitait qu'ils ne souffrissent point. Se libérer soi-même et les délivrer.

« C'est si bon... et si simple », songea-t-il.

« Et la douleur ? », se demanda-t-il l'instant d'après. « Où est-elle ?... Holà, douleur, où es-tu ?... »

Il s'écouta.

« Ah ! ah ! la voici, elle est là... qu'importe ! »

« Et la mort, où est-elle ?... »

Il cherchait son épouvante passée devant la mort et ne la trouvait plus. Où était-elle, la mort ?... Et qu'était-elle ?

Plus de terreur, car il n'y a plus de mort.

Une grande lumière en guise de mort.

« C'est donc cela ! fit-il tout haut... Oh ! quelle joie... »

Cela s'était produit, l'espace d'un instant, et dès lors plus rien ne changea.

Pour l'entourage d'Ivan Illitch, l'agonie se prolongea encore deux heures. Quelque chose glougloutait dans sa poitrine, et son corps frissonnait. Ensuite, la respiration et les râles se firent de plus en plus rares.

1. En russe « prosti » ou « propousti ». M. à m. « pardonne » et « laisse-moi passer ».

« C'est fini ! » dit une voix au-dessus de lui.
Il entendit ces mots et les répéta dans son âme.
« Finie la mort ! songea-t-il... Elle n'existe plus ! »
Ivan Illitch aspira une bouffée d'air, s'arrêta à mi-souffle, étira ses membres et mourut.

25 mars 1886.

MAITRE ET SERVITEUR

Traduit par Boris de Schoelzer

I

C'ÉTAIT le lendemain de la Saint-Nicolas d'hiver, qui était la fête de la paroisse, et Vassili Andréitch Brékhounov, marchand de la deuxième guilde, ne pouvait s'absenter : il lui fallait être à l'église — il était marguillier — et il lui fallait aussi recevoir et régaler chez lui les parents et les amis. Mais lorsque ses derniers hôtes l'eurent quitté, Vassili Andréitch se mit aussitôt en devoir de se préparer à partir : il se disposait à se rendre chez un propriétaire du voisinage, pour lui acheter une forêt qu'il marchandait déjà depuis longtemps.

Vassili Andréitch se hâtait, car il craignait fort que les marchands de la ville voisine ne vinssent lui enlever cette affaire avantageuse. Le jeune propriétaire n'exigeait pour la forêt que dix mille roubles pour la seule raison que Vassili Andréitch lui en offrait sept. Or ces sept mille roubles ne représentaient que le tiers de la valeur réelle de la forêt. Vassili Andréitch aurait réussi peut-être à obtenir encore un certain rabais, car la forêt se trouvait dans sa région, et il était déjà depuis longtemps convenu entre tous les marchands du district qu'aucun d'eux ne pouvait élever les prix dans la région réservée à son voisin, mais il avait appris que les marchands de bois de la ville gouvernementale se disposaient à venir marchander la forêt de Goriatchkino. Il résolut donc de partir aussitôt et de terminer l'affaire avec le propriétaire.

Aussi, dès que la fête fut terminée, il prit dans son coffre sept cents roubles, y ajouta deux mille trois cents roubles de la caisse de l'église, qu'il détenait, pour avoir en tout trois mille roubles, compta soigneusement cet argent, le plia dans son portefeuille et se disposa à partir.

Son garçon de ferme, Nikita, le seul des serviteurs de Vassili Andréitch qui ne fût pas ivre ce jour-là, courut atteler.

Nikita n'était pas ivre ce jour-là parce qu'il était un ivrogne, et qu'après avoir vendu pour boire ses bottes et ses vêtements neufs, il avait fait le vœu de ne plus boire, et ne buvait plus en effet depuis deux mois ; il avait même résisté à la tentation de ces deux jours de fête pendant lesquels il avait vu l'eau-de-vie couler à flots autour de lui.

Agé de cinquante ans, Nikita, un paysan du village voisin, avait passé la plus grande partie de sa vie à travailler dans les maisons et sur les terres des autres. « Ce n'est pas un propriétaire », disait-on de lui. On l'estimait partout pour son ardeur à la besogne, pour son adresse, pour sa force, et surtout pour sa bonté et son caractère agréable ; mais il ne restait jamais longtemps en place, car deux fois l'an ou plus souvent même parfois, il se mettait à boire ; et alors, non seulement il se dépouillait de tout ce qu'il avait pour boire, mais il devenait querelleur et turbulent. Vassili Andréitch, lui aussi, l'avait déjà maintes fois mis à la porte ; mais il le reprenait cependant, à cause de son honnêteté, de sa bonté pour les animaux, à cause principalement de ses modestes exigences : Vassili Andréitch payait à Nikita non pas quatre-vingts roubles, prix normal d'un tel ouvrier, mais quarante roubles, qui étaient d'ailleurs versés à Nikita par petits acomptes, et la plupart du temps non pas en argent mais en marchandises, que la boutique de Vassili Andréitch lui livrait à des prix très élevés.

La femme de Nikita, Marfa, une ménagère alerte et adroite, qui dans le temps avait été belle, travaillait à la maison avec un garçon et deux filles. Elle n'insistait pas pour que Nikita vécût avec eux, car si elle faisait ce qu'elle voulait de son mari lorsqu'il ne buvait pas, elle le craignait comme le feu dès qu'il s'enivrait. S'étant un jour enivré à la maison, Nikita, probablement pour se venger de sa sujétion, brisa le coffre de sa femme, s'empara de ses plus beaux atours, prit une hache et coupa en petits morceaux sur un billot toutes ses robes et ses sarafanes.

Tout l'argent gagné par Nikita était remis directement à sa femme, et Nikita ne protestait jamais. Il en fut de même cette fois : deux jours avant la fête, Marfa vint chez Vassili Andréitch et prit dans sa boutique de la farine blanche, du thé, du sucre, une demi-bouteille d'eau-de-vie, pour trois roubles au total, plus cinq roubles en argent. Et elle remercia Vassili Andréitch pour tout cela, comme s'il lui avait accordé une grande grâce ; or, il lui devait une vingtaine de roubles, en comptant au plus bas prix.

« Nous n'avons pas conclu de contrat, n'est-ce pas ? disait Vassili Andréitch à Nikita. Si tu as besoin de quelque chose, prends-le, tu me le paieras en travail. Chez moi, ce n'est pas comme chez les autres : attends un peu, et puis des décomptes, et puis des amendes. Chez nous autres, c'est sur l'honneur. Tu es à mon service, et moi je ne t'abandonne pas. »

En parlant ainsi, Vassili Andréitch était sincèrement convaincu qu'il était le bienfaiteur de Nikita : si grande était sa force de persuasion et tant ceux qui dépendaient de lui, à commencer par Nikita, soutenaient en lui cette conviction qu'il ne trompait pas les gens mais les couvrait de bienfaits.

« Oui, je comprends, Vassili Andréitch ; je crois que je travaille, que je fais de mon mieux, comme si c'était pour mon père. Je comprends très bien », répondait Nikita, sachant parfaitement que Vassili Andréitch le trompait et sentant en même temps qu'il était inutile même d'essayer de tirer au clair ses comptes avec lui, mais qu'il fallait bien rester là tant qu'il n'avait pas d'autre place, et prendre ce qu'on lui donnait.

Maintenant, ayant reçu l'ordre d'atteler, Nikita, gaiement comme toujours et plein de bonne volonté, se dirigea vers le hangar de ce pas léger et alerte qui lui était coutumier, bien qu'il marchât comme une oie, les pieds en dedans. Il enleva du clou la lourde bride garnie de pompons et, faisant résonner les gourmettes du mors, il pénétra dans l'étable où était enfermé le cheval que Vassili Andréitch lui avait donné l'ordre d'atteler.

« Eh bien quoi ? tu t'ennuies ? tu t'ennuies, petit bêta ? » dit Nikita en réponse au hennissement accueillant dont le salua l'étalon bai, de taille moyenne, bien bâti, à la croupe quelque peu tombante, qui se trouvait seul dans l'étable. « Allons !

allons ! Ne te dépêche pas. Attends que je te fasse d'abord boire. »

Il parlait au cheval tout à fait comme on parle aux hommes. Ayant essuyé du pan de son sarrau le dos du cheval, un dos gras marqué au milieu d'une rigole, pelé et poussiéreux, il passa la jeune et jolie tête de l'étalon dans la bride, dégagea les oreilles et la crinière et le mena boire.

Aussitôt qu'il fut sorti à pas prudents de l'étable remplie de fumier, le *Bai* se mit à caracoler et à volter, faisant mine de vouloir envoyer une ruade à Nikita qui l'accompagnait en courant vers le puits.

« Joue un peu pour voir, joue un peu, canaille ! » disait Nikita qui savait bien avec quelle prudence le *Bai* lançait sa jambe de derrière, non pas pour le frapper mais pour toucher seulement, en manière de jeu, sa pelisse graisseuse, et qui aimait beaucoup cette habitude du cheval.

S'étant abreuvé d'eau glacée, le cheval soupira, agitant ses lèvres fermes toutes mouillées, d'où tombaient dans l'auge des gouttes transparentes ; puis il demeura immobile, comme plongé dans ses réflexions, et soudain s'ébroua bruyamment.

« Tu n'en veux plus, tant pis ! bon, n'en demande plus », dit Nikita, expliquant sa conduite au *Bai*, très sérieusement et en détail.

Et il repartit en courant vers le hangar, tirant par le licou le jeune cheval tout joyeux qui piaffait et remplissait la cour de bruit.

Tous les serviteurs étaient absents ; il n'y avait dans la cour qu'un étranger, le mari de la cuisinière, venu pour la fête.

« Va lui demander, chère âme, lui dit Nikita, à quel traîneau il faut atteler le cheval : au grand ou bien au petit ? »

Le mari de la cuisinière entra dans la maison au toit de fer, bâtie sur de hautes fondations, et en ressortit bientôt, rapportant l'ordre d'atteler le cheval au petit traîneau. Pendant ce temps, Nikita avait déjà passé au cheval son collier et attaché la sellette garnie de clous. D'une main portant la légère douga peinte, et de l'autre tirant le cheval, il se dirigea vers les deux traîneaux sous le hangar.

« Eh bien, attelons-le au petit », dit-il en introduisant dans les brancards l'intelligent animal qui faisait tout le temps mine de vouloir le mordre.

Lorsque tout fut presque terminé et qu'il ne resta plus qu'à fixer les guides, Nikita dit au mari de la cuisinière de lui apporter une botte de paille de la grange et le balin.

« Ça va bien comme ça ! allons, allons, ne te hérisse pas, disait Nikita en tassant dans le traîneau la paille d'avoine fraîchement battue qui venait de lui être apportée.

— Et maintenant, nous allons étendre la serpillière, et par-dessus, le balin. Voilà, comme ça ; ainsi on sera bien installé, disait-il, et il faisait comme il disait, repliant le balin sous la paille amassée autour du siège.

— Eh bien, voilà ! Merci, chère âme, dit Nikita au mari de la cuisinière. A deux ça va plus vite. »

Et ayant dénoué les guides en cuir qui se terminaient par un anneau, Nikita sauta sur le rebord du traîneau et, à travers la cour couverte de fumier gelé, il dirigea vers la porte cochère la brave bête qui ne demandait qu'à trotter.

« Oncle Nikita ! petit oncle ! Eh, petit oncle ! » s'écria d'une voix aiguë un garçonnet de sept ans en pelisse noire, en bonnet de fourrure, chaussé de bottes neuves en feutre blanc et qui sortait en courant de la maison. « Prends-moi, demanda-t-il en boutonnant hâtivement sa courte pelisse.

— Accours, viens vite, mon petit pigeon ! » dit Nikita, et arrêtant le cheval, il fit monter dans le traîneau le fils de son maître, dont le pâle et maigre visage s'illumina de joie.

Il était plus de deux heures. Il faisait froid, près de dix degrés, et brumeux ; il y avait du vent. La moitié du ciel était couverte d'une nuée basse et sombre. Dans la cour l'air était calme, mais dans la rue le vent soufflait assez fort ; il balayait la neige amoncelée sur le toit du hangar voisin et soulevait des tourbillons au coin, près des bains.

A peine Nikita, passant sous la porte cochère, se fut-il arrêté devant le perron, que Vassili Andréitch, une cigarette aux lèvres, et vêtu d'une pelisse de mouton fortement serrée très bas à la taille par une ceinture, sortit du vestibule en faisant grincer sous ses bottes de feutre garnies de cuir la couche de neige durcie qui recouvrait le perron. Il s'arrêta, aspira une dernière bouffée de fumée, jeta le bout de sa cigarette, l'écrasa sous son pied et chassant la fumée à travers ses moustaches, examinant le cheval du coin de l'œil, il se mit à arranger des deux côtés de son visage vermeil et complètement rasé, sauf les moustaches, le col de sa pelisse, afin que sa respiration ne mouillât pas la fourrure.

« Voyez un peu ce polisson ! il est déjà là », dit-il en apercevant son fils dans le traîneau.

Vassili Andréitch était excité par l'eau-de-vie qu'il avait bue avec ses amis, et c'est pourquoi il se sentait satisfait plus encore que de coutume de tout ce qui lui appartenait et de tout ce qu'il faisait. La vue de son fils, qu'il appelait toujours en lui-même son héritier, lui procurait maintenant un grand plaisir ; il le dévisageait, plissant les paupières et découvrant ses longues dents.

La tête et les épaules enveloppées d'un châle de laine qui ne laissait apercevoir que ses yeux, la femme de Vassili Andréitch, pâle et maigre, se tenait derrière lui dans le vestibule.

« Vraiment, tu ferais mieux de prendre Nikita », dit-elle en s'avançant timidement.

Vassili Andréitch ne répondit rien à ces paroles qui lui étaient évidemment désagréables ; son visage se renfrogna et il cracha.

« Tu as de l'argent sur toi, continua la femme sur le même ton geignant ; et puis, le temps pourrait bien se gâter. Vraiment, je t'assure.

— Qu'ai-je besoin d'un guide ? Est-ce que je ne connais pas la route ? » fit Vassili Andréitch avec cette tension des lèvres qui lui était particulière lorsqu'il parlait aux vendeurs ou aux acheteurs, en détachant nettement chaque syllabe.

« Je t'en prie, prends-le avec toi, au nom du Ciel ! répéta la femme en relevant son châle sur ses épaules.

— Elle colle vraiment comme la poix aux mains ! Comment puis-je le prendre avec moi ?

— Eh bien, quoi, Vassili Andréitch ? Je suis prêt, moi, prononça gaiement Nikita. Pourvu qu'on donne à manger aux chevaux en mon absence..., ajouta-t-il en se tournant vers la patronne.

— J'y veillerai, Nikita, mon ami ; je donnerai mes ordres à Sémione, dit la femme.

— Eh bien, Vassili Andréitch, est-ce que je pars ? demanda Nikita.

— Il faut bien faire plaisir à la vieille ! Mais si tu viens avec moi, mets quelque chose de plus chaud », dit Vassili Andréitch en souriant de nouveau, et il cligna de l'œil vers la courte pelisse graisseuse de Nikita, aux pans tout effilochés, déchirée dans le dos et sous le bras et qui en avait certainement vu déjà de belles.

« Eh ! chère âme ! viens donc un peu ! tiens le cheval ! appela Nikita en se tournant vers la cour où se tenait le mari de la cuisinière.

— Moi ! Moi ! cria d'une voix perçante l'enfant, et sortant de ses poches ses petites mains toutes rouges de froid, il saisit les guides glacées.

— Mais ne fais pas trop de toilette, dépêche-toi ! s'écria Vassili Andréitch en se moquant de Nikita.

— J'y vais d'une traite, Vassili Andréitch, mon petit père », dit Nikita, et il courut vers l'isba réservée aux serviteurs.

« Marfa, ma chérie, donne vite mon caftan qui sèche sur le poêle ; je pars avec le maître », fit Nikita en se précipitant dans l'isba et en s'emparant de sa ceinture qui pendait à un clou.

La cuisinière, qui avait fait un somme après le dîner et était en train maintenant de préparer le samovar pour son mari, accueillit gaiement Nikita ; gagnée par sa hâte, elle enleva prestement du poêle le vieux caftan tout usé qu'on y avait mis à sécher et se mit à le déployer et à le secouer.

« Tu vas être à l'aise maintenant pour t'amuser avec ton mari ! » dit Nikita à la cuisinière.

Lorsqu'il se trouvait seul avec n'importe qui, il disait toujours quelque chose, par une sorte de politesse bienveillante.

Et ayant enroulé autour de sa taille sa ceinture étroite et toute tordue, il la serra aussi fort qu'il put, rentrant son ventre, cependant suffisamment plat.

« Ça va bien ainsi, dit-il ensuite, en s'adressant non pas à la cuisinière mais à sa ceinture dont il noua les bouts. Comme ça, tu ne te déferas pas. »

Et soulevant et abaissant les épaules afin que ses bras demeurassent libres, il enfila son caftan, tendant aussi le dos, pour conserver la liberté de tous ses mouvements, et prit ses moufles sur la planche.

« Ça va !

— Tu devrais bien, Nikita Stépanitch, changer de bottes, dit la cuisinière ; les tiennes sont en bien mauvais état. »

Nikita s'arrêta comme s'il se souvenait de quelque chose.

« Oui... ce serait nécessaire... Ça ira comme ça. On ne va pas loin. »

Il sortit en courant.

« N'auras-tu pas froid, Nikita ? dit la patronne lorsqu'il arriva près du traîneau.

— Pourquoi donc ? Ça tient chaud », répondit Nikita en soulevant la paille pour en recouvrir ses pieds et en glissant le fouet dessous, dont le *Bai*, en bon cheval, n'avait pas besoin.

Vassili Andréitch était déjà installé dans le traîneau ; son large dos sous deux pelisses occupait toute la banquette. Il rassembla les guides et lâcha le cheval. Nikita sauta dans le traîneau en marche et s'accroupit sur le devant, une jambe pendante.

II

LE traîneau s'ébranla en grinçant légèrement des patins, et le robuste étalon s'engagea sur la route couverte d'une couche de neige durcie.

« Que fais-tu là ? Passe-moi un peu le fouet, Nikita ! s'écria Vassili Andréitch, admirant visiblement son héritier qui s'était accroché par-derrière au traîneau. Attends un peu ! File près de ta mère ! »

L'enfant sauta à terre. Le *Bai* augmenta son allure et passa de l'amble au trot.

Le village de Kresty, où demeurait Vassili Andréitch, ne comptait que six maisons. Dès qu'ils eurent dépassé la dernière isba, celle du forgeron, ils remarquèrent aussitôt que le vent était bien plus fort qu'ils ne se l'imaginaient. On ne voyait presque plus la route.

Les traces des patins étaient aussitôt recouvertes par la neige que chassait le vent, et l'on ne pouvait distinguer la route que parce qu'elle était plus élevée que la plaine qu'elle traversait. Des tourbillons de neige couraient sur les champs, et l'on ne discernait plus la ligne où le ciel et la terre se rejoignent. La forêt de Teliatino, qu'on distingue toujours très bien, ne se laissait entrevoir que par instants comme une tache noirâtre à travers la neige poussiéreuse. Le vent venait de gauche, chassant obstinément vers la droite la crinière du *Bai* et sa queue bien fournie, serrée en un gros nœud. Le long col de Nikita, qui était assis sous le vent, se collait à son nez et à sa joue.

« Il ne peut donner sa vraie allure : trop de neige, dit Vassili Andréitch, fier de son bon cheval. J'ai été une fois avec lui à Pachoutino ; eh bien il m'y a conduit en une demi-heure.

— Quoi ? demanda Nikita qui n'avait pas entendu, à cause de son col.

— Je te dis qu'il m'a conduit à Pachoutino en une demi-heure, cria Vassili Andréitch.

— Il n'y a pas à dire, c'est un bon cheval », dit Nikita.

Ils se turent un moment. Mais Vassili Andréitch avait envie de causer.

« Eh bien, achèterez-vous un cheval au printemps ? demanda-t-il en parlant très haut.

— Oui, impossible d'y échapper », répondit Nikita ; il abaissa le col de son caftan et se pencha vers Vassili Andréitch. « Le gars a grandi, il est temps qu'il laboure lui-même.

— Eh bien, prenez donc l'*Osseux* ; je ne vous le vendrai pas cher », cria Vassili Andréitch, se sentant excité et à cause de cela prêt à maquignonner, occupation qu'il préférait à toute autre et qui absorbait toute son intelligence.

« Peut-être me donnerez-vous plutôt une quinzaine de roubles et j'en achèterai un à la foire aux chevaux », dit Nikita qui savait bien que l'*Osseux* que voulait lui repasser Vassili Andréitch valait tout au plus sept roubles, et que Vassili Andréitch le lui compterait vingt-cinq roubles, après quoi on n'en obtiendrait plus un sou durant six mois.

« C'est un bon cheval. Je te veux du bien comme

à moi-même. En toute conscience ! Brékhounov n'a jamais fait de tort à personne. Je préfère encore y perdre. Ce n'est pas comme chez les autres, sur l'honneur ! cria-t-il de cette même voix qu'il prenait pour en imposer aux clients. C'est vraiment un bon cheval.

— C'est bien vrai », prononça Nikita en soupirant ; et voyant que Vassili Andréitch se taisait, il lâcha son col qui aussitôt lui recouvrit le visage et l'oreille.

Ils poursuivirent ainsi leur route près d'une demi-heure en silence. Nikita sentait le vent sur sa main et sur son bras, où sa pelisse était déchirée.

Il se recroquevillait et soufflait dans son col qui lui couvrait la bouche, mais il n'avait pas froid au corps.

« Comment penses-tu ? irons-nous par Karamychevo ou bien tout droit ? » demanda Vassili Andréitch.

En passant par Karamychevo on suivait une route plus animée, dont les deux côtés étaient marqués par des jalons, mais plus longue. La route droite était plus courte, mais moins bien tracée ; les jalons y étaient rares ou recouverts par la neige.

Nikita réfléchit un peu.

« Par Karamychevo c'est plus long, mais la route est meilleure, dit-il.

— Mais en allant tout droit, il suffit de couper la ravine, impossible de s'égarer, et ensuite, c'est la forêt, dit Vassili Andréitch qui avait envie de prendre la route directe.

— Comme vous voulez », répondit Nikita, et il releva de nouveau son col.

Ainsi fit Vassili Andréitch ; et au bout d'une demi-verste, il tourna à gauche, là où s'agitait dans le vent une branche de chêne garnie de quelques feuilles sèches.

A partir de ce tournant, ils eurent le vent debout. Il se mit à neiger. Vassili Andréitch conduisait ; il enflait les joues et soufflait dans ses moustaches. Nikita sommeillait.

Dix minutes se passèrent ainsi en silence. Tout à coup, Vassili Andréitch prononça quelques mots.

« Quoi ? » demanda Nikita en ouvrant les yeux.

Vassili Andréitch ne répondit pas ; il se penchait, regardait en avant et en arrière. Le cheval allait au pas ; son poil trempé de sueur frisait au cou et entre ses jambes.

« Quoi ? qu'y a-t-il ? répéta Nikita.

— Quoi ? quoi ? le singea Vassili Andréitch d'un ton irrité. Plus de jalons. On s'est égarés, certainement.

— Attends un peu, je vais trouver le chemin », dit Nikita, et sautant lestement du traîneau, retirant le fouet de dessous la paille, il se dirigea vers la gauche, du côté où il était assis.

La neige cette année n'était pas abondante, de sorte qu'il put avancer sans difficulté ; cependant, à certains endroits il enfonçait jusqu'aux genoux et il eut bientôt ses bottes pleines de neige. Nikita tâtait le terrain du pied et du bout de son fouet, mais ne parvenait pas à trouver la route.

« Eh bien ? demanda Vassili Andréitch lorsque Nikita revint vers lui.

— De ce côté, je ne trouve rien ; il faut aller voir par là.

— Regarde un peu cette tache sombre devant nous. Vas-y voir », dit Vassili Andréitch.

Nikita partit dans la direction indiquée et s'approcha de la tache noire ; c'était un champ dénudé dont la terre dispersée par le vent avait teint la neige en noir. Après avoir aussi cherché à droite, Nikita se secoua pour faire tomber la neige qui le saupoudrait, secoua ensuite ses bottes et remonta dans le traîneau.

« C'est à droite qu'il faut aller, déclara-t-il d'un ton décidé. Nous avions le vent à gauche, et maintenant il me tape dans la gueule. Tourne à droite », commanda-t-il.

Vassili Andréitch lui obéit et tourna à droite. Mais toujours pas de route. Ils avancèrent ainsi quelque temps ; le vent ne tombait pas, il neigeait.

« Eh bien, Vassili Andréitch, nous voilà apparemment égarés, observa soudain Nikita, comme très content de cet événement. Qu'est-ce que c'est ? » ajouta-t-il en indiquant des tiges noirâtres qui pointaient de dessous la neige.

Vassili Andréitch arrêta le cheval trempé de sueur et dont les flancs battaient sous sa respiration haletante.

« Eh bien, qu'est-ce qu'il y a ? demanda-t-il.

— Il y a que nous sommes dans les champs de Zakharov. Ce que c'est que de perdre la route !

— Tu mens ! répliqua Vassili Andréitch.

— Non, je ne mens pas, Vassili Andréitch, je dis la vérité, répondit Nikita. On l'entend bien au bruit que fait le traîneau : nous traversons un champ de pommes de terre ; et voici d'ailleurs des tas de feuilles et de tiges. Oui, c'est bien le champ de la ferme de Zakharov.

— En voilà une histoire ! dit Vassili Andréitch. Que faire, maintenant ?

— Eh bien, allons droit devant nous, voilà tout. On arrivera bien quelque part. A la ferme ou à la propriété du maître. »

Vassili Andréitch obéit et dirigea le cheval comme le lui avait dit Nikita. Ils avancèrent ainsi pendant assez longtemps. Tantôt ils traversaient des prairies dénudées, et les patins du traîneau crissaient alors sur des mottes de terre congelée. Tantôt ils coupaient des chaumes où l'on apercevait, pointant de dessous la neige, des tiges sèches qu'agitait le vent. Tantôt ils enfonçaient dans une neige profonde, d'une blancheur uniforme et sur laquelle on ne distinguait rien.

La neige tombait d'en haut et parfois aussi s'élevait en tourbillons du sol. Le cheval était évidemment fatigué ; son poil trempé de sueur frisait et se couvrait de givre ; il n'avançait plus qu'au pas. Soudain il perdit pied et glissa dans un fossé ou dans une fondrière. Vassili Andréitch voulut l'arrêter, mais Nikita se mit à crier :

« Pourquoi le retiens-tu ? Il faut qu'il en sorte ! Hue ! hue ! chéri ! hue ! mon petit ami ! » cria-t-il gaiement au cheval en sautant du traîneau et en s'effondrant à son tour dans la neige.

Le cheval prit son élan et atteignit d'un bond le remblai de terre durcie par le gel. Ils étaient évidemment tombés dans un fossé.

« Où sommes-nous donc ? demanda Vassili Andréitch.

— Nous allons le savoir, répondit Nikita. Avançons toujours, on arrivera bien quelque part.

— N'est-ce pas la forêt de Goriatchkino ? dit Vassili Andréitch en désignant une masse sombre qu'on distinguait à travers la neige.

— Allons-y, nous verrons bien alors ce que c'est que cette forêt », dit Nikita.

Nikita avait vu que le vent apportait de ce côté des feuilles sèches de virgulaire, et il savait donc que ce n'était pas une forêt, mais un lieu habité ; toutefois, il ne voulait pas le dire.

Et en effet, ils n'avaient fait encore qu'une dizaine de sagènes lorsqu'ils distinguèrent les silhouettes noires des arbres et perçurent un nouveau bruit plaintif. Nikita avait deviné juste : ce n'était pas une forêt, mais une rangée de hauts virgulaires sur lesquels frémissaient encore çà et là des feuilles mortes. Les virgulaires étaient évidemment plantés le long d'un fossé, près d'une grange.

Etant parvenu jusqu'aux virgulaires qui bruissaient mélancoliquement, le cheval leva soudain ses pieds de devant plus haut que le traîneau, se hissa sur un remblai et tourna à gauche. C'était la route.

« Nous voilà arrivés, dit Nikita ; mais nous ne savons où. »

Le cheval suivit sans hésiter la route couverte de neige, et ils n'avaient pas fait plus d'une quarantaine de sagènes lorsque devant eux se dessina le mur d'une grange dont le toit disparaissait sous une neige épaisse. Ayant contourné la grange, ils se trouvèrent avoir le vent en face et plongèrent dans un tas de neige.

Mais ils distinguèrent devant eux une ruelle étroite entre deux maisons : c'était évidemment le vent qui avait amassé ce tas de neige sur la route, et il fallait passer au travers. Et en effet, aussitôt qu'ils eurent surmonté cet obstacle, ils s'engagèrent dans la ruelle. Près d'une des maisons, du linge gelé pendu à une corde s'agitait désespérément sous la bise : des chemises — une blanche et une rouge — des caleçons, des bandes pour les pieds, une jupe. La chemise blanche surtout se démenait furieusement, agitant ses manches.

« Voyez un peu cette paresseuse qui n'a pas

repassé son linge pour les fêtes ! Mais elle est malade peut-être », dit Nikita en regardant les chemises.

III

A L'ENTRÉE du village, il y avait encore du vent et la route disparaissait sous la neige ; mais à mesure qu'ils avançaient, il faisait plus doux, plus chaud, plus gai. Un chien aboyait dans une cour ; une femme qui courait, sa pelisse ramenée sur sa tête, s'arrêta sur le seuil d'une isba pour voir passer les étrangers. Du milieu du village leur parvenaient les chants d'un chœur de jeunes filles.

Le vent et le froid semblaient moins âpres dans le village ; la neige y paraissait moins abondante.

« Mais c'est Grichkino, dit Vassili Andréitch.

— C'est bien ça », répondit Nikita.

Et en effet c'était Grichkino. Après avoir pris trop à gauche, et fait ainsi huit verstes dans une direction qui n'était pas tout à fait celle qu'ils auraient dû prendre, il se trouva donc qu'ils s'étaient néanmoins rapprochés de leur but, car de Grichkino à Goriatchkino il n'y avait plus que cinq verstes.

Au centre du village, ils rencontrèrent un homme de haute taille qui marchait au milieu de la route.

« Qui va là ? » cria cet homme en arrêtant le cheval.

Ayant aussitôt reconnu Vassili Andréitch, il saisit un des brancards et parvint ainsi en tâtonnant jusqu'au traîneau sur le rebord duquel il s'assit.

C'était Issaï, un marchand que connaissait bien Vassili Andréitch, un voleur de chevaux, célèbre dans tout le district.

« Ah ! Vassili Andréitch, quel bon vent vous amène ? demanda Issaï, et Nikita sentit son haleine chargée d'eau-de-vie.

— Nous allions à Goriatchkino.

— Eh ! eh ! et vous voilà ici ! Il vous fallait prendre la route de Malakhovo.

— Il nous fallait faire bien des choses ! Qu'y pouvons-nous ? dit Vassili Andréitch en arrêtant son cheval.

— Un bon cheval, fit Issaï en examinant la bête, et d'un geste coutumier il resserra le nœud de la queue, qui s'était desserré en cours de route.

— Eh bien, vous passez la nuit ici ?

— Non, ami, il nous faut partir.

— S'il le faut, rien à faire. Mais qui est-ce donc ? Ah ! Nikita Stépanitch.

— Qui serait-ce donc ? répondit Nikita. Pourvu, chère âme, qu'on ne s'égare plus !

— Comment pourriez-vous vous égarer ? Tournez et suivez la rue tout droit, et quand vous sortirez du village, continuez toujours tout droit. Ne prenez pas à gauche. Et quand vous serez sur la grand-route, prenez alors à droite.

— Où faut-il tourner à droite ? demanda Nikita.

— Vous verrez des buissons, et en face des buissons, un jalon, une grande branche de chêne, toute feuillue. C'est là. »

Vassili Andréitch fit faire demi-tour à son cheval, et ils partirent dans la direction indiquée.

« Peut-être logerez-vous ici toutefois ? » leur cria Issaï.

Mais Vassili Andréitch ne lui répondit pas et toucha le cheval : il lui semblait facile de faire cinq verstes, dont deux en forêt, sur une route plate, d'autant plus que le vent paraissait moins fort et que la neige avait cessé.

Ils prirent en sens inverse la rue qu'ils avaient déjà suivie et que marquaient de noir çà et là des petits tas de fumier frais ; ils dépassèrent la cour garnie de linge — la chemise blanche ne tenait plus que par une de ses manches — passèrent de nouveau devant les virgulaires qui bruissaient lugubrement, et se retrouvèrent en plein champ. Le vent n'était pas tombé ; au contraire, il semblait souffler plus fort encore. La route disparaissait sous la neige qui la recouvrait, et l'on ne pouvait se rendre compte de la bonne direction que d'après les jalons. Mais on ne les discernait que très difficilement à cause du vent debout.

Vassili Andréitch clignotait des yeux, se penchait à droite et à gauche pour essayer de distinguer les jalons, mais en somme laissait faire le cheval, se fiant à lui plutôt qu'à ses propres yeux. Et en effet, le cheval ne se trompait pas ; il avançait, tournait tantôt à droite et tantôt à gauche, en suivant les sinuosités de la route, dont il sentait le sol ferme sous ses pas. Si bien que malgré le vent qui devenait plus fort et la neige qui tombait plus abondante, on continuait à entrevoir les jalons, tantôt à droite et tantôt à gauche.

Ils allaient ainsi depuis une dizaine de minutes, quand soudain ils aperçurent droit devant eux une masse noire qui avançait à travers le réseau oblique de la neige chassée par le vent. C'étaient des gens qui allaient dans le même sens qu'eux. Le *Bai* les rattrapa et heurta du pied le caisson du traîneau.

« Tournez !... ah ! ah !... Passez devant !... » criaient les gens du traîneau.

Vassili Andréitch les dépassa. Le traîneau était occupé par trois hommes et une femme. Ils rentraient évidemment chez eux après avoir fait la fête au village. L'un des paysans fouettait avec une branche sèche la croupe saupoudrée de neige du cheval. Les deux autres criaient en agitant les bras. La femme, étroitement enveloppée dans sa pelisse et toute couverte de neige, se tenait immobile, recroquevillée, au fond du traîneau.

« D'où êtes-vous ? leur cria Vassili Andréitch.

— A... a... a...

— Je dis : d'où êtes-vous ?

— A... a... a..., hurla de toutes ses forces l'un des paysans ; mais on ne put toutefois distinguer ses paroles.

— Avance !... Ne les laissons pas passer ! hurla l'autre paysan, en fouettant à tour de bras son pauvre cheval.

— Ils reviennent de la fête, certainement.

— Avance ! Avance ! Siomka ! Dépasse-les... En avant ! »

Les traîneaux se heurtèrent, faillirent s'accrocher, se séparèrent, et le traîneau des paysans demeura en arrière.

Le petit cheval, poilu, ventru, couvert de neige, tendait ses dernières forces, haletant péniblement sous la basse douga ; s'efforçant en vain d'échapper aux coups qui le frappaient, il avançait cahin-caha, plongeant ses courtes jambes dans la neige profonde. Son jeune museau à la lèvre inférieure débordante comme celle des poissons, aux naseaux élargis, aux oreilles aplaties de terreur, se maintint quelques secondes à la hauteur de l'épaule de Nikita, puis peu à peu resta en arrière.

« Voilà ce que fait le vin ! dit Nikita. Ils vont crever leur pauvre cheval. De vrais sauvages ! »

On entendit encore pendant quelques minutes le halètement de la malheureuse bête harassée et les cris des ivrognes, puis les halètements se turent, et les cris s'éteignirent aussi peu à peu. Et de nouveau, l'on n'entendit plus rien que les sifflements du vent et, de temps à autre, les faibles crissements des patins sur le sol que le vent avait çà et là dénudé.

Cette rencontre avait égayé Vassili Andréitch et augmenté son assurance, et sans plus faire attention aux jalons, il força l'allure du cheval, comptant sur son flair.

Nikita n'avait rien à faire, et, selon son habitude lorsqu'il se trouvait dans cette situation, il somnolait, se dédommageant ainsi de ses fatigues. Tout à coup le cheval s'arrêta, et Nikita faillit tomber le nez en avant.

« Nous voilà bien ! dit Vassili Andréitch.

— Eh bien, quoi ?

— On ne voit plus les jalons. Nous avons de nouveau perdu la route, il faut croire.

— Si on l'a perdue, il faut la retrouver », répondit brièvement Nikita.

Il se leva, et se mit de nouveau à marcher dans la neige de son pas alerte, les pieds tournés en dedans.

Il marcha longtemps, tantôt disparaissant complètement dans la brume, tantôt reparaissant brusquement pour s'éloigner de nouveau... Enfin il revint vers le traîneau.

« Il n'y a pas de route par là ; il se peut qu'elle soit quelque part devant nous », dit-il en remontant dans le traîneau.

Il commençait à faire sombre. Le vent n'augmentait pas de violence, mais il ne diminuait pas non plus.

« Si l'on entendait au moins les paysans ! dit Vassili Andréitch.

— Voilà, ils ne nous ont pas rattrapés ; nous sommes trop loin de la route, il faut croire. Ou bien ils se sont égarés aussi.

— Où aller maintenant ? demanda Vassili Andréitch.

— Il faut laisser faire le cheval. Il nous sortira de là. Donne les guides. »

Vassili Andréitch passa les guides à Nikita avec d'autant plus de plaisir qu'il commençait à avoir froid aux mains malgré ses gants fourrés.

Nikita prit les guides et se contenta de les tenir en main sans les tirailler, fier de l'intelligence de son favori. Et en effet, la brave bête, dressant tantôt une oreille et tantôt l'autre, se mit à tourner.

« Il ne lui manque que la parole, disait Nikita. Vois un peu ce qu'il fait ! Vas-y, vas-y bravement ! Ainsi, ainsi ! »

Ils avaient maintenant le vent dans le dos. Ils eurent moins froid.

« En voilà une bête intelligente ! dit Nikita, plein d'admiration pour le cheval. Le petit *Kirghiz*, lui, est fort, mais sot. Et celui-ci, vois un peu ce qu'il fait avec ses oreilles. Pas besoin de télégraphe. Il entend tout à une verste à la ronde. »

Et une demi-heure ne s'était pas encore passée, qu'ils distinguaient en effet devant eux quelque chose de noir, une forêt ou un village, et à leur droite ils aperçurent de nouveau les jalons. Ils avaient évidemment retrouvé la route.

« Mais c'est encore Grichkino ! » dit Vassili Andréitch.

Et en effet, à leur gauche maintenant se voyait la même grange couverte de neige ; et plus loin, le linge gelé, les chemises et les caleçons continuaient de s'agiter désespérément sous la bise.

Ils s'engagèrent de nouveau dans la ruelle et il fit de nouveau doux, chaud et gai ; ils virent de nouveau la route couverte de fumier, et entendirent de nouveau des voix, des chants et les aboiements des chiens. La nuit tombait et des lumières s'allumaient dans les isbas.

Vassili Andréitch arrêta le cheval devant le perron d'une grande maison aux murs garnis de briques. Nikita s'approcha de la fenêtre éclairée dans la lumière de laquelle voletaient des flocons scintillants, et frappa la vitre du manche de son fouet.

« Qui est là ? répondit une voix au signal de Nikita.

— Les Brékhounov de Kresty, ami, répondit Nikita. Sors donc pour un instant. »

Ils s'écartèrent de la fenêtre, et au bout de deux minutes on entendit s'ouvrir avec effort la porte de l'entrée, puis le loquet grinça, et, retenant la porte extérieure que le vent repoussait, apparut un vieux paysan de haute taille, à barbe grise, vêtu d'une chemise blanche toute neuve et d'une pelisse courte, suivi d'un jeune gars en chemise rouge et en bottes de cuir.

« Est-ce bien toi, Vassili Andréitch ? demanda le vieux.

— Mais oui, nous nous sommes égarés, vois-tu, dit Vassili Andréitch. Nous voulions aller à Goriatchkino et nous voilà chez vous. Repartis une seconde fois, nous nous égarons de nouveau.

— Voyez un peu ! dit le vieux. Pétrouchka, va, ouvre la porte cochère, commanda-t-il au gars en chemise rouge.

— Je veux bien, prononça le jeune garçon d'une voix gaie, et il partit en courant.

— Mais nous ne logeons pas, frère, déclara Vassili Andréitch.

— Où irez-vous ? Il fait nuit. Restez.

— Je voudrais bien. Mais il faut partir. Des affaires... impossible.

— Réchauffez-vous un peu, au moins ; vous arrivez juste pour le samovar.

— Quant à ça, je veux bien, répondit Vassili Andréitch. Il ne fera pas plus sombre, et quand la lune se lèvera, on y verra mieux. Eh bien, Nikita, on entre se réchauffer ?

— Pourquoi pas ? Ce n'est pas de refus », dit Nikita qui avait très froid et qui désirait beaucoup réchauffer ses membres glacés.

Vassili Andréitch entra dans l'isba avec le vieux. Pétrouchka ayant ouvert la porte cochère, Nikita fit entrer le cheval dans la cour et l'attacha sous l'auvent du hangar ; le sol de celui-ci était recouvert d'une épaisse couche de fumier, et la haute douga s'accrocha à l'une des poutres. Les poules et le coq qui s'y étaient déjà installés pour la nuit, mécontents d'être dérangés, se mirent à glousser et à s'agiter. Les brebis, effrayées, se jetèrent à droite et à gauche, en frappant bruyamment le sol gelé de leurs sabots. Le chien se mit à aboyer contre les intrus avec des glapissements de terreur et de rage.

Nikita parla à tous : il s'excusa devant les poules,

leur promettant de ne plus les déranger, reprocha aux brebis de prendre peur sans savoir pourquoi, et, tout en attachant le cheval, ne cessa d'exhorter le chien au calme.

« Voilà, cela va bien maintenant, dit-il en secouant la neige qui le saupoudrait. Voyez un peu comme il s'égosille ! ajouta-t-il en se tournant vers le chien. Ça suffit ! assez, sot ! assez ! Tu te fatigues sans profit. Nous ne sommes pas des voleurs.

— Ceux-ci, ce sont les trois conseillers de la maison, ainsi qu'il est écrit, fit le gars en poussant d'un bras robuste, sous le hangar, le traîneau qui était resté dehors.

— Quels conseillers ? demanda Nikita.

— C'est ainsi qu'il est dit dans le livre de Paulsen, expliqua le gars en souriant : le voleur s'approche furtivement de la maison, et le chien aboie ; cela signifie : ne baye pas aux corneilles, fais attention ! Le coq chante ; cela signifie : lève-toi ! Le chat se lave ; cela signifie : un hôte arrive ; prépare-toi à bien le régaler. »

Pétrouchka savait lire et écrire et connaissait presque par cœur le livre de Paulsen, le seul qu'il possédât. Et il aimait beaucoup, surtout lorsqu'il avait un peu bu comme aujourd'hui, à en citer certaines sentences qui lui paraissaient convenir à la situation.

« C'est exact, dit Nikita.

— Tu es gelé, je pense, petit oncle ? ajouta Pétrouchka.

— Oui, un peu », répondit Nikita.

Ils traversèrent la cour et entrèrent dans l'isba.

IV

La maison où s'était arrêté Vassili Andréitch était l'une des plus riches de tout le village. La famille possédait cinq parts de terre et en louait encore quelques-unes. Il y avait six chevaux dans la cour, trois vaches, deux génisses et une vingtaine de brebis. La famille qui habitait cette maison était composée de vingt-deux personnes : quatre fils mariés, six petits-fils, dont Pétrouchka, le seul qui fût marié, deux arrière-petits-fils, trois orphelins et quatre belles-filles avec leurs enfants. C'était une des rares familles du village qui ne s'était pas séparée et n'avait pas effectué le partage de ses biens ; mais la discorde qui, comme à l'ordinaire, avait surgi pour commencer entre les femmes, y accomplissait déjà sourdement son œuvre, laquelle allait immanquablement aboutir au partage des biens. Deux des fils travaillaient à Moscou comme porteurs d'eau ; un troisième était soldat. Dans la maison demeuraient maintenant : le vieux, la vieille, le fils aîné rentré de Moscou pour la fête du village, le second fils qui gérait la ferme, toutes les femmes et leurs enfants, et en plus encore un hôte, un voisin.

Au-dessus de la table pendait une vieille lampe recouverte d'un abat-jour ; elle éclairait violemment la vaisselle préparée pour le thé, une bouteille d'eau-de-vie, des hors-d'œuvre et les murs en briques, garnis à la place d'honneur d'icônes, entre deux rangées d'images coloriées.

Vassili Andréitch, vêtu de sa pelisse noire, était assis à table sous les icônes. Tout en suçant sa moustache couverte de givre, il parcourait les gens et les murs de ses yeux saillants, des yeux d'épervier.

Outre Vassili Andréitch, autour de la table avaient pris place le vieux à la barbe blanche, tout chauve, en chemise de toile blanche, le fils aîné, arrivé de Moscou, un homme au dos et aux épaules robustes, en chemise de coton fin, l'autre fils encore, celui qui travaillait à la maison, et le voisin, un paysan maigre et roux.

Ayant bu et mangé, les hommes se disposaient à se régaler de thé ; le samovar grondait déjà sur le plancher, près du poêle. Sur le poêle, et sur les planches placées au-dessus, des enfants étaient couchés ; une femme était assise sur un banc près d'un berceau. La vieille, la ménagère, au visage tout creusé de plis minces qui marquaient même ses lèvres, s'affairait auprès de Vassili Andréitch.

Au moment où Nikita entrait dans l'isba, elle versait précisément de l'eau-de-vie dans un verre épais qu'elle présentait en disant :

« Ne nous méprise pas, Vassili Andréitch ; il faut boire et nous souhaiter une heureuse fête. »

La vue et l'odeur d'eau-de-vie, en ce moment surtout où il était glacé et fatigué, troublèrent profondément Nikita. Son visage se renfrogna. Ayant secoué son bonnet et son caftan, il se tourna, comme s'il ne voyait personne, vers les icônes, qu'il salua après s'être signé trois fois ; puis il se tourna vers la table, salua d'abord le vieux, ensuite tous les convives, et pour finir, il s'inclina devant les femmes qui se tenaient près du poêle. Puis, ayant dit à tous : « Bonne fête ! » il se mit à se dévêtir sans regarder la table.

« Comme te voilà chargé de givre, mon petit oncle ! » dit le frère aîné à la vue du visage de Nikita, dont les yeux et la barbe étaient garnis de petits glaçons.

Nikita enleva son caftan, le secoua encore une fois, le suspendit à un clou et s'approcha de la table. Ce fut une minute très pénible pour lui : il fut sur le point de saisir le petit verre et d'avaler d'un coup le liquide clair et odorant ; mais il jeta un regard à Vassili Andréitch, se souvint de son vœu, se souvint des bottes qu'il avait vendues pour boire et de son gars auquel il avait promis d'acheter un cheval au printemps, soupira et refusa.

« Je ne bois pas ; je vous remercie beaucoup, dit-il en fronçant les sourcils, et il prit place sur un banc près de la fenêtre.

— Pourquoi donc ça ? demanda le frère aîné.

— Je ne bois pas, voilà tout », répondit Nikita sans lever les yeux.

Et en louchant vers ses maigres moustaches et sa barbe, il se mit à les débarrasser des petits glaçons qui s'y étaient incrustés.

« Ça ne lui convient pas, dit Vassili Andréitch en croquant un craquelin.

— Alors tu boiras bien du thé, dit la bonne vieille. Tu dois être gelé, mon chéri. Eh, les femmes ! qu'attendez-vous donc pour donner le samovar ?

— Il est prêt », dit une des brus.

Ayant essuyé avec un rideau le samovar qui lançait des jets de vapeur, elle le souleva avec peine et le posa lourdement sur la table.

Vassili Andréitch se mit à raconter comment ils

s'étaient égarés et étaient revenus deux fois au village ; comment ils avaient longtemps erré à l'aventure et rencontré un traîneau chargé de paysans ivres. Le vieux s'étonnait et expliquait où et pourquoi ils avaient perdu la route, qui étaient les gens ivres qu'ils avaient rencontrés, et la direction qu'il aurait fallu prendre.

« Jusqu'à Moltchanovka c'est très simple, un petit enfant ne s'y tromperait pas ; il suffit de tourner juste à temps. Il y a là un buisson.

— Et vous vous êtes trompés, cependant, ajouta le voisin.

— Peut-être logerez-vous ici ? Les femmes prépareront le coucher, insistait la vieille.

— Vous partiriez tôt au matin ; ce serait parfait, ajouta le vieux.

— Impossible, frère. J'ai des affaires sérieuses, répondit Vassili Andréitch. Ce qu'on a perdu en une heure, on ne peut le rattraper en un an, ajouta-t-il, se souvenant de la forêt et des marchands qui voulaient la lui enlever. Nous y arriverons, n'est-il pas vrai ? » dit-il en s'adressant à Nikita.

Nikita ne répondit pas tout de suite, comme s'il continuait à être très occupé par sa barbe et ses moustaches.

« Pourvu qu'on n'aille pas de nouveau s'égarer ! » dit-il enfin d'un air sombre.

Nikita était sombre, parce qu'il avait fortement envie d'eau-de-vie ; seul le thé aurait pu apaiser cette envie, mais on ne lui en offrait pas encore.

« Mais il suffit d'arriver au tournant ; et ensuite, impossible de s'égarer, c'est la forêt.

— C'est votre affaire, Vassili Andréitch. Comme vous voulez, dit Nikita en prenant le verre de thé qu'on lui tendait.

— Buvons, et ensuite, en avant, marche ! »

Nikita ne dit rien ; mais il hocha la tête et ayant prudemment versé le thé dans sa soucoupe, il se mit à réchauffer au-dessus de la vapeur ses mains aux doigts tuméfiés par le travail. Ensuite, ayant pris en bouche un minuscule morceau de sucre, il salua le vieux et la vieille et dit :

« A votre santé ! et aspira le liquide brûlant.

— Si quelqu'un pouvait nous conduire jusqu'au tournant, dit Vassili Andréitch.

— Pourquoi pas ? On peut, répondit le fils aîné. Pétrouchka attellera et vous guidera jusqu'au tournant.

— Attelle alors, ami ! Et moi, je te remercierai.

— Que dis-tu donc, chère âme ? C'est de tout cœur, intervint la bonne vieille.

— Pétrouchka, attelle la jument, dit le fils aîné.

— Je veux bien », dit Pétrouchka en souriant, et ayant saisi son bonnet qui pendait à un clou, il courut atteler.

Tandis qu'on attelait, la conversation qu'avait interrompue l'arrivée de Vassali Andréitch reprit de nouveau. Le vieux se plaignait au voisin de son troisième fils qui ne lui avait rien envoyé aux fêtes, et n'avait fait présent à sa femme que d'un mouchoir français.

« Les jeunes n'obéissent plus, disait le vieux.

— Et comment donc ! Rien à faire avec eux ! Ils sont trop intelligents. Vois Diémotchkine ! Il a cassé le bras de son père. Tout cela provient évidemment de ce qu'ils savent trop de choses. »

Nikita écoutait attentivement, examinait les visages, et aurait certainement voulu aussi prendre part à la conversation ; mais il était trop occupé par son thé et se contentait de hocher la tête en signe d'assentiment. Il vidait un verre après l'autre ; il se réchauffait de plus en plus et se sentait de mieux en mieux. La conversation continuait de rouler sur le même sujet, sur le partage des biens et le mal qui en résultait. Et il était évident qu'il ne s'agissait pas d'un cas abstrait, mais précisément de ce ménage, dont le partage était exigé par le second fils qui se tenait auprès de son père, sombre et silencieux. Il était évident que c'était là une question douloureuse et qui préoccupait toute la famille ; mais ils ne jugeaient pas convenable de discuter devant des étrangers de leurs affaires personnelles. Toutefois, le vieux ne put se contenir davantage et il déclara avec des larmes dans la voix que tant qu'il vivrait, il n'accepterait aucun partage, qu'ils avaient tout en abondance, grâce à Dieu, et que si l'on partageait, la famille finirait par aller mendier sous les fenêtres.

« C'est comme les Matvéiev, dit le voisin. Ils avaient tout ce qu'il leur fallait ; et maintenant qu'ils se sont séparés, personne n'a rien.

— C'est ce que tu veux, toi », dit le vieux en s'adressant à son fils.

Celui-ci ne répondit pas et il s'établit un silence gênant. Il fut interrompu par Pétrouchka qui, ayant attelé la jument, était rentré déjà depuis quelques instants et écoutait en souriant.

« Il y a une fable là-dessus chez Paulsen, dit-il. Un père proposa à ses enfants de rompre un balai ; ils n'y parvinrent pas, mais en séparant les brindilles, ce fut facile. C'est tout à fait ça, dit-il en souriant largement. Ça y est ! ajouta-t-il.

— Ça y est ? alors partons, dit Vassili Andréitch. Et pour ce qui est du partage, grand-père, ne cède pas. C'est toi qui as amassé tout ; tu es le maître.

Adresse-toi au juge de paix. Il dira ce qu'il y a à faire.

— Il fait tant d'embarras, tant d'embarras, continuait le vieux d'une voix pleurarde, qu'il n'y a rien à faire avec lui. On dirait que Satan est en lui. »

Ayant achevé son cinquième verre de thé, Nikita ne renversa cependant pas le verre vide, mais le posa sur le côté dans l'espoir qu'on lui en verserait encore un sixième. Mais le samovar était vide, et la vieille ne lui offrit plus rien ; d'ailleurs, Vassili Andréitch s'habillait déjà. Il n'y avait rien à faire : Nikita se leva aussi, remit dans le sucrier le petit morceau de sucre qu'il avait rongé de tous les côtés, essuya avec le pan de son caftan son visage ruisselant de sueur et revêtit sa pelisse.

Lorsqu'il fut prêt, il soupira profondément, remercia ses hôtes et, leur ayant dit adieu, il sortit de la chambre éclairée et bien chaude pour entrer dans le vestibule obscur et froid, rempli de neige et où le vent pénétrait en hurlant à travers les fentes de la porte et des murs. Puis il descendit dans la cour.

Pétrouchka, vêtu d'une pelisse, se tenait debout près de son cheval au milieu de la cour et déclamait en souriant des vers du livre de Paulsen : « La tempête obscurcit les cieux en soulevant des tourbillons de neige ; tantôt elle hurle comme une bête, tantôt elle pleure comme un enfant. »

Nikita hochait la tête d'un air approbateur et déliait les guides.

Le vieux accompagnait Vassili Andréitch, une lanterne à la main. Il voulut la poser dans le vestibule pour que ses hôtes y vissent plus clair mais le vent l'éteignit aussitôt. Il était visible, même dans la cour, que la tempête de neige soufflait avec encore plus de violence qu'auparavant.

« En voilà un temps ! songea Vassili Andréitch. Peut-être qu'il vaudrait mieux rester. Mais impossible : les affaires ! Et puis, on s'est préparés à partir, le cheval du patron est attelé... On s'en tirera, Dieu nous aidera ! »

Le vieux se disait aussi qu'ils auraient mieux fait de loger ; mais il le leur avait déjà conseillé, et on ne l'avait pas écouté. Inutile d'insister. « Peut-être que je suis devenu craintif parce que je me fais vieux ! peut-être ne leur arrivera-t-il rien ! songeait-il. Et puis, de cette façon, on se couchera de bonne heure, sans tracas... »

Pétrouchka, lui, ne pensait nullement au danger : il connaissait si bien la route et les alentours : et puis, les vers qu'il venait de réciter relevaient encore son courage, parce qu'ils exprimaient exactement ce qui se passait sous ses yeux.

Quant à Nikita, il n'avait nulle envie de partir ; mais il était habitué depuis longtemps à n'avoir plus de volonté à soi et à être au service d'autrui. Personne donc ne retint les voyageurs.

V

VASSILI ANDRÉITCH s'approcha du traîneau en tâtonnant, car on n'y voyait pas, monta dedans et prit les guides.

« Va en avant ! » cria-t-il à Pétrouchka.

Pétrouchka, à genoux dans son traîneau large et bas, lança son cheval. Le *Bai,* qui hennissait déjà depuis un moment, sentant qu'il y avait une jument devant lui, se lança à sa poursuite. Les deux traîneaux s'engagèrent dans la rue.

Ils suivirent la même route que tantôt ; ils repassèrent devant la cour où claquait au vent le linge gelé qu'on ne distinguait plus, devant la grange presque complètement ensevelie maintenant sous la neige, devant les mêmes virgulaires qui, se courbant sous les rafales, gémissaient et sifflaient lugubrement ; et ils plongèrent de nouveau dans une mer en furie dont les vagues neigeuses les assaillirent de partout. Le vent était si fort que lorsqu'il soufflait de côté, il faisait pencher le traîneau et repoussait le cheval du côté opposé.

Pétrouchka filait au trot de sa bonne jument qu'il encourageait par des cris aigus. Le *Bai* s'efforçait de la rattraper.

On allait ainsi depuis une dizaine de minutes, lorsque Pétrouchka se retourna et cria quelques mots que ni Vassili Andréitch ni Nikita ne purent saisir à cause du vent ; mais ils devinèrent qu'on avait atteint le tournant. Et en effet, Pétrouchka tourna à droite ; le vent, qui jusque-là soufflait de côté, leur arriva en plein visage, et à travers la neige ils entrevirent à droite des taches noires : c'étaient les buissons.

« Que Dieu vous assiste !

— Merci, Pétrouchka !

— La tempête obscurcit les cieux ! cria une dernière fois Pétrouchka.

— En voilà un faiseur de vers ! dit Vassili Andréitch, et il frappa légèrement des guides les flancs du cheval.

— Oui, c'est un brave garçon, un vrai paysan », dit Nikita.

On avançait rapidement.

Enveloppé étroitement dans sa pelisse et la tête si profondément enfouie dans ses épaules que sa courte barbe lui serrait le cou, Nikita demeurait silencieux, tâchant de ne pas perdre la chaleur dont il avait fait provision dans l'isba en buvant du thé. Il distinguait devant lui les deux lignes droites des brancards qui le trompaient constamment, car il les prenait pour les ornières de la route, la croupe oscillante du cheval avec sa queue nouée que le vent repoussait toujours du même côté, et plus loin, en avant, la tête du cheval se balançant sous la haute douga et son cou à la crinière hérissée. De temps à autre, Nikita apercevait les jalons ; il savait donc que pour le moment on suivait la route et que, par conséquent, il n'avait rien à faire.

Vassili Andréitch conduisait en permettant au cheval de se maintenir de lui-même dans la bonne direction. Mais bien qu'il se fût reposé, le *Bai* trottait à contrecœur, semblait-il, et paraissait vouloir s'écarter de la route, si bien que Vassili Andréitch dut plusieurs fois tirer sur les guides.

« Voici un jalon à droite, en voici un second, un troisième, comptait Vassili Andréitch. Et là-bas, c'est la forêt », se dit-il, en s'efforçant de discerner une masse sombre qu'il entrevoyait devant lui. Mais ce qui lui avait semblé être une forêt, n'était qu'un buisson. Le buisson fut dépassé et l'on fit encore une vingtaine de sagènes : ni jalon, ni forêt. « La forêt doit être là », se disait Vassili Andréitch. Et excité par l'eau-de-vie et le thé, il ne cessait de pousser le cheval, et l'animal, docile et courageux, courait tantôt l'amble et tantôt au petit trot dans la direction où on l'envoyait, tout en sachant bien que cette direction n'était pas la bonne. Dix minutes s'écoulèrent encore : la forêt demeurait invisible.

« Nous voilà de nouveau égarés ! » s'écria Vassili Andréitch en arrêtant le cheval.

Nikita descendit en silence du traîneau et retenant son caftan qui tantôt se collait à son corps, tantôt se retournait et s'ouvrait largement, il se mit en marche à travers la neige, d'abord dans une direction, puis dans une autre. Trois fois il disparut complètement aux yeux de Vassili Andréitch. Enfin il revint et prit les guides des mains de son maître.

« Il faut aller à droite, dit-il d'un ton sévère et ferme, et il fit tourner le cheval.

— Eh bien, tournons à droite », dit Vassili Andréitch en lui repassant les guides et en cachant ses mains glacées dans ses manches.

Nikita ne répondit pas.

« Allons, mon ami chéri, un petit effort », cria-t-il au cheval ; mais celui-ci n'avançait qu'au pas, bien que Nikita tiraillât les guides.

A certains endroits, on enfonçait dans la neige jusqu'aux genoux, et à chaque mouvement du cheval le traîneau avançait par courtes saccades.

Nikita prit le fouet qui était accroché au-devant du traîneau et en frappa le cheval. Le brave animal, qui n'était pas habitué au fouet, fit un violent effort et prit le trot, mais presque immédiatement il se remit à l'amble, puis au pas. On avança ainsi durant cinq minutes à peu près. Il faisait si sombre et les tourbillons de neige étaient si denses qu'à certains moments on n'apercevait même plus la douga. Il semblait parfois que le traîneau ne bougeait plus et que la plaine glissait en arrière. Soudain, le cheval s'arrêta brusquement, pressentant évidemment quelque danger. Jetant les guides, Nikita descendit de nouveau et alla en avant pour se rendre compte de la cause de cet arrêt ; mais à peine eut-il dépassé la tête du cheval, que ses pieds glissèrent et qu'il roula en bas.

« Stop ! stop ! stop ! » se disait-il à lui-même en s'efforçant de s'arrêter ; mais il ne pouvait se retenir et ne s'arrêta que lorsque ses pieds se furent engagés dans l'épaisse couche de neige que le vent avait accumulée au fond du ravin.

Le remblai de neige qui se dressait sur la crête du ravin, ébranlé par la chute de Nikita, s'écroula sur lui ; il eut de la neige jusque dans le cou, sous ses vêtements.

« Ah ! c'est comme ça, toi, fit Nikita d'un ton de reproche en s'adressant au ravin et au tas de neige, et il se mit à se secouer.

— Nikita ! Ohé, Nikita ! » criait d'en haut Vassili Andréitch.

Mais Nikita ne répondait pas.

Il n'avait pas le temps ; il se secouait et cherchait le fouet qu'il avait laissé tomber en roulant en bas. L'ayant retrouvé, il se mit en devoir de remonter la côte à l'endroit même où il avait glissé, mais il n'y put parvenir ; il glissait en bas. Si bien que, pour finir, il dut suivre le fond du ravin pour trouver quelque issue. A trois sagènes de distance de l'endroit où il avait perdu pied, il parvint difficilement à remonter en s'aidant des mains, et il se mit à marcher alors le long de la crête vers l'endroit où devait, d'après lui, se trouver le cheval. Toutefois, il n'aperçut ni cheval, ni traîneau, mais comme il avançait contre le vent, avant de les voir il entendit les cris de Vassili Andréitch et les hennissements du *Bai* qui l'appelait.

« J'y vais, j'y vais ! Qu'as-tu à gueuler ainsi ? » dit-il.

Ce n'est que lorsqu'il fut tout près du traîneau qu'il aperçut le cheval et, à côté, Vassili Andréitch qui lui parut énorme.

« Où es-tu donc disparu ? Que le diable t'emporte ! Il faut retourner en arrière. Revenons au moins à Grichkino, dit à Nikita son maître d'un ton furieux.

— Revenir à Grichkino ? Je ne demande pas mieux. Mais comment ? Il y a là un ravin si profond qu'on n'en sort plus quand on y est. J'ai roulé dedans et ne suis remonté qu'à grand-peine.

— Eh bien, nous n'allons pas rester ici ! Il faut avancer », dit Vassili Andréitch.

Nikita ne répondit pas. Il s'assit dans le traîneau, le dos tourné au vent, enleva ses bottes et en fit tomber la neige qui s'y était glissée. Ensuite, il prit une poignée de paille et boucha soigneusement de l'extérieur un trou dans sa botte gauche.

Vassili Andréitch se taisait, comme s'il abandonnait tout maintenant à la sagacité de Nikita. S'étant rechaussé, Nikita entra dans le traîneau, mit ses moufles, prit en main les guides, tourna le cheval et le fit avancer le long du ravin. Mais à peine eurent-ils fait une centaine de pas, que le cheval s'arrêta de nouveau brusquement. Ils se trouvaient encore une fois devant un ravin.

Nikita descendit de nouveau et partit à la recherche d'un passage. Cela dura longtemps. Enfin il reparut du côté opposé à celui d'où il était parti.

« Eh bien, Andréitch, es-tu encore en vie ? cria-t-il.

— Je suis là ! répondit Vassili Andréitch. Eh bien, qu'y a-t-il ?

— Il y a que je suis à bout. Et le cheval aussi, d'ailleurs, n'en peut plus.

— Que faire alors ?

— Attends un peu. »

Nikita partit de nouveau ; mais il revint bientôt cette fois.

« Suis-moi », dit-il en se plaçant devant le cheval.

Vassili Andréitch ne donnait plus d'ordres, il faisait sans répliquer tout ce que disait Nikita.

« Suis-moi ! » cria encore une fois Nikita. Il fit un pas à droite, saisit rapidement le *Bai* par la bride et le poussa vers le ravin, à travers l'amoncellement de neige qui surplombait la crête.

Le cheval résista d'abord, mais ensuite il bondit en avant, comptant pouvoir passer par-dessus le tas de neige ; il ne put y parvenir cependant et plongea dedans jusqu'au cou.

« Sors donc ! » cria Nikita à Vassili Andréitch qui était toujours assis dans le traîneau, et saisissant l'un des brancards, il se mit à pousser le traîneau qui monta sur la croupe du cheval.

« C'est difficile, petit frère, dit-il au cheval, mais que faire ! Encore un effort. Allons-y ! allons-y ! » cria-t-il.

Le cheval prit deux fois son élan sans réussir à remonter ; il se ramassa alors sur lui-même et parut réfléchir.

« Eh bien, frère ! On ne peut rester ainsi, dit Nikita au cheval. Allons-y, encore une fois ! »

Et de nouveau Nikita saisit l'un des brancards, tandis que Vassili Andréitch poussait l'autre. Le cheval secoua la tête, prit son élan et bondit.

« Vas-y ! vas-y ! Ne crains rien ! Tu ne te noieras pas ! » criait Nikita.

Un bond, un deuxième bond, un troisième, et le cheval parvint enfin à sortir du tas de neige ; il s'arrêta alors, haletant péniblement et s'ébrouant.

Nikita voulait encore avancer, mais Vassili Andréitch soufflait tellement sous ses deux pelisses, que, hors d'état de marcher, il se laissa tomber dans le traîneau.

« Laisse-moi respirer, dit-il, en défaisant le mouchoir qu'il avait, au village, lié autour du col de sa pelisse.

— Ça ira mieux maintenant, reste là, répondit Nikita. Je vais vous conduire. »

Et tandis que Vassili Andréitch s'installait dans le traîneau, Nikita prit le cheval par la bride, lui fit faire en descendant une dizaine de pas, puis le conduisit un peu plus haut et s'arrêta.

On n'était pas au fond du ravin où la neige, chassée par le vent, aurait pu les recouvrir complètement ; mais l'endroit où s'arrêta Nikita était en contrebas et se trouvait quelque peu protégé de la tempête par la crête du ravin. A certains instants, le vent paraissait faiblir, mais ces accalmies relatives ne duraient pas, et après cela, comme si elle eût voulu rattraper le temps perdu, la tempête se remettait à souffler avec une force décuplée, et chassait la neige en tourbillons avec une rage encore plus féroce. Une de ces rafales s'abattit sur eux au moment même où Vassili Andréitch, ayant repris son souffle, sortait du traîneau et s'approchait de Nikita pour lui demander ce qu'il comptait faire.

Tous deux se courbèrent involontairement et attendirent sur place que la colère du vent se fût calmée. Le cheval aplatissait aussi ses oreilles d'un air mécontent et agitait la tête. Aussitôt que la rafale faiblit, Nikita enleva ses moufles, les glissa dans sa ceinture, souffla dans ses mains et se mit à défaire la douga.

« Que fais-tu là ? demanda Vassili Andréitch.

— Je dételle. Que faire d'autre ! Je n'en puis plus, répondit Nikita, comme s'excusant.

— Ne pourrait-on pas continuer ?

— Où irons-nous ? On crèvera le cheval. Voyez, il ne peut plus bouger, le pauvret, dit Nikita, en indiquant le cheval qui se tenait la tête basse, soumis et prêt à tout, et dont le souffle haletant agitait les flancs trempés de sueur. Il faut passer la nuit ici », dit-il comme s'il s'agissait de loger dans une auberge ; et il se mit à défaire la courroie qui maintenait le collier du cheval.

Les agrafes sautèrent.

« Ne périrons-nous pas de froid ? dit Vassili Andréitch.

— Peut-être bien. Mais que faire ? » répondit Nikita.

VI

VASSILI ANDRÉITCH sous ses deux pelisses avait très chaud, surtout après s'être débattu avec le cheval et le traîneau dans le tas de neige. Mais il eut froid dans le dos lorsqu'il comprit qu'il leur fallait en effet passer la nuit en plein champ. Pour essayer de se calmer, il s'assit dans le traîneau et tira de sa poche ses cigarettes et une boîte d'allumettes.

Pendant ce temps, Nikita dételait le cheval. Il défit la sangle, la sellette, les guides et les traits, enleva la douga, tout en ne cessant de parler au cheval et de l'encourager.

« Allons, sors de là ! disait-il en le tirant hors des brancards. Je vais t'attacher, je vais te donner un peu de paille et te débrider. (Et il faisait ce qu'il disait.) Quand tu auras mangé, tu te sentiras un peu plus gai. »

Mais il était visible que les discours de Nikita ne parvenaient pas à tranquilliser le *Bai* qui se montrait fort inquiet. Il piétinait, se collait au traîneau, le dos contre le vent, et frottait sa tête à la manche de Nikita.

Uniquement pour ne pas offenser Nikita par un refus, eût-on dit, il saisit d'un mouvement brusque un peu de paille dans le traîneau ; mais il décida aussitôt qu'il ne s'agissait pas de manger pour le moment et lâcha la paille. Le vent s'en empara au même instant et l'éparpilla au loin.

« Plaçons un signal maintenant », dit Nikita.

Il tourna le traîneau face au vent, lia ensemble, avec la courroie de la sellette, les extrémités des deux brancards et dressa les brancards en les appuyant contre le devant du traîneau.

« Voilà ! Si nous sommes ensevelis sous la neige, les bonnes gens verront les brancards et viendront nous déterrer, dit Nikita en remettant ses moufles après les avoir secouées. C'est ainsi que les vieux nous ont appris à faire. »

Ayant défait sa pelisse dont il s'efforçait de retenir les pans, Vassili Andréitch frottait une allumette soufrée après l'autre contre la boîte d'acier ; mais ses mains tremblaient, et les allumettes qui prenaient feu s'éteignaient aussitôt ou bien au moment même où il les approchait de sa cigarette. L'une d'elles enfin flamba et éclaira, l'espace d'un instant, la fourrure de sa pelisse, sa main ornée à l'index d'une bague en or, et la paille d'avoine saupoudrée de neige, qui s'échappait de dessous le balin. La cigarette s'alluma. Il tira avidement deux bouffées, avala la fumée et la chassa ensuite à travers ses moustaches. Il voulut continuer, mais le vent arracha la cigarette et l'emporta au loin.

Ces quelques bouffées de tabac égayèrent Vassili Andréitch.

« Puisqu'il le faut, logeons ici, déclara-t-il d'un ton résolu. Attends un peu, je vais te faire un drapeau. »

Il ramassa le mouchoir qu'il avait tantôt jeté dans le traîneau, et ayant enlevé ses gants, il se mit debout sur le devant du traîneau, s'allongea pour atteindre la courroie qui reliait les brancards et y noua fortement le mouchoir que le vent se mit aussitôt à agiter violemment en le faisant claquer, tantôt le collant contre le brancard, tantôt le gonflant comme une voile.

« Voilà qui est bien ! dit Vassili Andréitch en admirant son ouvrage et en s'installant dans le traîneau.

— A deux on aurait plus chaud, ajouta-t-il, mais il n'y a pas moyen.

— Je trouverai une place, dit Nikita. Mais il faut recouvrir le cheval, car il est trempé de sueur, le chéri. Laisse-moi passer », ajouta-t-il, et s'approchant du traîneau, il retira le balin de dessous Vassili Andréitch.

Il le plia en deux, puis, ayant enlevé l'avaloir et la sellette, il en recouvrit le *Bai.*

« Ainsi tu auras un peu plus chaud, petit sot ! » dit-il en remettant l'avaloir et la sellette par-dessus le balin.

Lorsqu'il eut fini, il s'approcha de nouveau du traîneau.

« Vous n'avez pas besoin de la serpillière, n'est-ce pas ? Et donnez-moi aussi un peu de paille. »

Et ayant tiré de dessous Vassili Andréitch la serpillière et la paille, Nikita passa derrière le traîneau, creusa un trou dans la neige, y étala la paille et ayant plus profondément enfoncé son bonnet, il s'enroula dans son caftan, se couvrit pardessus avec la serpillière et s'assit sur la paille en s'adossant au traîneau qui le protégeait contre le vent et la neige.

Vassili Andréitch regardait faire Nikita en hochant la tête d'un air désapprobateur ; il réprouvait toujours d'ailleurs l'ignorance et la bêtise des paysans.

Il se mit à son tour en devoir de s'installer pour la nuit.

Il étala la paille qui restait dans le fond du traîneau, la tassa de son côté, et ayant enfoncé ses mains dans ses poches, il s'étendit dans le coin, la tête appuyée au devant relevé du traîneau, qui le protégeait ainsi contre la bise.

Il n'avait pas envie de dormir. Il réfléchissait : il réfléchissait toujours à la même chose, à ce qui constituait le but, la signification, la joie et l'orgueil de son existence, à l'argent qu'il avait gagné et qu'il pouvait encore gagner, à l'argent que possédaient d'autres gens qu'il connaissait, et aux moyens par lesquels ils avaient fait fortune et aux procédés grâce auxquels il pourrait, tout comme eux, gagner encore beaucoup d'argent. L'achat de la forêt de Goriatchkino avait pour lui une importance immense ; il espérait tirer de cette affaire de très gros profits : une dizaine de mille roubles peut-être. Et il se mit à évaluer en imagination la forêt qu'il avait parcourue en automne et dont il avait compté tous les arbres sur une étendue de deux déciatines.

« Les chênes fourniront du bois de traîneau, et puis, évidemment, du bois de charpente, et chaque déciatine donnera bien trente sagènes de bois de chauffage. Je tirerai donc de chaque déciatine vingt-cinq roubles au bas mot. Il y a là en tout cinquante-six déciatines. Cinquante-six déciatines, cinquante-six centaines et encore cinquante-six centaines, et cinquante-six dizaines, et encore cinquante-six dizaines, et puis encore cinq fois cinquante-six. » Il vit que cela faisait plus de douze mille roubles, mais sans boulier il ne pouvait trouver le chiffre exact. « Je ne donnerai tout de même pas dix mille roubles, mais huit mille, en décomptant les clairières. Je frotterai la manche à l'arpenteur, en lui donnant cent roubles, ou cent cinquante même, et il me mesurera bien cinq déciatines de clairière. Oui, il cédera pour huit mille. Je lui glisse immédiatement trois mille roubles. Ça le rendra souple, c'est certain ! » Il tâta du coude son portefeuille dans sa poche. « Comment avons-nous pu nous égarer passé le tournant ? Dieu le sait ! La forêt devrait être ici, et la cabane. Mais on n'entend pas les chiens. Ces maudites bêtes n'aboient pas quand on a besoin d'elles. »

Il écarta son col et tendit l'oreille ; mais on n'entendait que les sifflements de la tempête, les claquements du mouchoir attaché aux brancards et le bruissement de la neige qui fouettait le traîneau. Il se recouvrit.

« Si l'on avait su, on aurait logé au village. Ce n'est rien. Nous arriverons demain. Nous ne perdons qu'un jour. Par un tel temps, les autres ne bougeront pas non plus. » Et il se rappela que le 9 il avait à toucher de l'argent du boucher. « Il voulait venir lui-même, mais il ne me trouvera pas. Ma femme ne saura même pas recevoir cet argent. Elle est vraiment trop peu instruite. Elle ne sait pas se tenir. » Et il se rappela qu'elle n'avait pas su se conduire avec le chef du district, qui avait été leur hôte la veille. « Une femme ! On sait ce que c'est ! Qu'a-t-elle vu ? Du temps de mes parents, qu'était-ce que notre ménage ? Pas grand-chose ! Un riche paysan : une grange, une auberge, c'est tout ce qu'on possédait. Et moi, qu'ai-je acquis en quinze ans ? Une boutique, deux cabarets, un moulin, un grenier à grain, deux terres en fermage, une maison avec un hangar à toiture de fer, se disait-il orgueilleusement. C'est bien autre chose que du temps de mon père ! Aujourd'hui, de qui parle-t-on dans toute la région ? de Brékhounov !

« Et pourquoi ça ? Parce que je travaille. Ce n'est pas comme les autres, les paresseux ou ceux qui s'occupent de bêtises. Moi, je ne dors pas la nuit. Qu'il fasse beau ou mauvais, je pars. C'est ainsi que la besogne avance. Ils s'imaginent que l'argent se gagne comme ça, en plaisantant. Non, tu dois peiner et te casser la tête. Passe la nuit en plein champ et ne dors pas. A force de réfléchir, on a comme qui dirait un oreiller dans la tête, songeait-il avec orgueil. On s'imagine qu'on devient quelqu'un avec de la chance. Les Mironov maintenant sont millionnaires. Et pourquoi ? Travaille ! Et Dieu t'aidera. Que Dieu me donne seulement la santé ! »

Et l'idée qu'il pouvait devenir un millionnaire comme ce même Mironov qui était parti de rien, bouleversa à tel point Vassili Andréitch qu'il ressentit le besoin de parler à quelqu'un. Mais il n'y avait personne à qui parler... Ah ! si l'on avait été à Goriatchkino, il aurait causé avec le propriétaire, il lui en aurait fait voir.

« Comme ça souffle ! On sera si profondément ensevelis sous la neige qu'on ne pourra plus en sortir demain », se dit-il en prêtant l'oreille aux tourbillons de neige qui fouettaient le devant du traîneau. Il se souleva et regarda autour de lui : dans l'obscurité blanchâtre on ne distinguait que la tête sombre du cheval, son dos sous le balin que le vent secouait et son épaisse queue nouée. Tout autour, de tous côtés, devant et derrière s'agitait une mer ténébreuse qui par moments semblait s'éclaircir, puis de nouveau s'épaississait davantage.

« J'ai eu tort d'écouter Nikita, pensait Vassili Andréitch. Il fallait continuer. On serait bien arrivés quelque part. On serait au moins retournés à Grichkino, on aurait logé chez Tarass. Tandis que maintenant, nous voilà ici pour toute la nuit. Ah ! oui, mais qu'y avait-il d'agréable ? Oui, que Dieu bénit le travail et ne donne rien aux paresseux ni aux imbéciles... Il faudrait fumer ! »

Il s'assit, tira son porte-cigarettes de sa poche et s'étendit sur le ventre, ramenant le pan de sa pelisse pour protéger la flamme de l'allumette ; mais le vent parvenait toujours à se glisser sous la pelisse et éteignait les allumettes les unes après les autres. Enfin, Vassili Andréitch réussit à faire prendre l'une d'elles, et se mit à fumer. Le fait d'avoir malgré tout abouti, réjouit fort Vassili Andréitch. Bien que ce fût plutôt le vent qui fumât sa cigarette, Vassili Andréitch put cependant aspirer deux ou trois bouffées et il se sentit ragaillardi. Il se recoucha, se recouvrit soigneusement et se mit de nouveau à songer au passé et à rêver à ses richesses futures ; puis, brusquement ses pensées s'embrouillèrent et il s'assoupit.

Mais soudain il ressentit comme un choc et se réveilla. Etait-ce le *Bai* qui avait essayé de tirer de dessous lui quelques brins de paille, ou bien était-ce un choc intérieur ? Quoi qu'il en fût, il se réveilla et son cœur se mit à battre si fort et si rapidement qu'il lui sembla que le traîneau tremblait sous lui. Il ouvrit les yeux. Rien n'avait changé autour de lui ; toutefois, il lui parut qu'il faisait plus clair. « Il commence à faire jour, se dit-il ; le matin approche certainement. » Mais aussitôt il se rappela qu'il faisait plus clair à cause de la lune. Il se souleva et jeta d'abord un regard sur le cheval. Le *Bai* se tenait debout, le dos tourné au vent, et tremblait. Le balin, blanc de neige, s'était retourné d'un côté ; l'avaloir avait glissé, et l'on distinguait mieux maintenant la tête du cheval saupoudrée de neige et sa crinière hérissée. Vassili Andréitch se pencha par-dessus l'arrière du traîneau et regarda ce que devenait Nikita. Celui-ci était toujours assis dans la même pose. Ses pieds, ainsi que la serpillière dont il s'était couvert disparaissaient sous une épaisse couche de neige. « Pourvu qu'il ne meure pas de froid ! Son vêtement ne vaut rien. Et c'est moi encore qui serais responsable. Quels gens stupides ! Ce que c'est que le manque d'instruction ! » songea Vassili Andréitch. Il voulut enlever le balin du dos du cheval et en recouvrir Nikita ; mais il se dit qu'il aurait froid, s'il se levait et bougeait ; et puis, il craignait que le cheval ne se refroidît. « Pourquoi l'ai-je pris avec moi ? C'est sa faute à elle », songea Vassili Andréitch en se souvenant de sa femme qu'il n'aimait pas. Il se laissa retomber au fond du traîneau. « Mon oncle a passé ainsi toute une nuit dans la neige, songea-t-il soudain, et il ne lui est rien arrivé. » Mais il se rappela aussitôt un autre cas : « Oui, mais Sévastiane, lui, lorsqu'on déblaya la neige, il était mort, rigide, comme une pièce de viande congelée. »

« Si j'étais resté à Grichkino, il ne serait rien arrivé. » Et s'étant soigneusement enveloppé dans sa pelisse pour que la chaleur de la fourrure ne se perdît point mais l'entourât de partout, il ferma les yeux et essaya de se rendormir. Mais malgré tous ses efforts, il ne pouvait plus s'abandonner au sommeil ; il se sentait au contraire actif et excité. Il se remit à compter ses gains, et ce qu'on lui devait ; il se remit à se vanter et à se réjouir de sa belle situation ; mais ses pensées se trouvaient maintenant constamment interrompues par une terreur sourde et par le regret de n'être pas resté à Grichkino. « Ce serait bien autre chose ; étendu au chaud, sur un banc !... » Il se retourna plusieurs fois, se recouchant de nouveau, cherchant une position plus commode et qui le protégeât mieux contre le vent ; mais rien ne le satisfaisait. Il se relevait, se couchait autrement, recouvrait ses pieds, fermait les yeux et demeurait tranquille un instant. Mais tantôt c'étaient ses fortes bottes de feutre qui serraient ses pieds et le faisaient souffrir, tantôt c'était le vent qui s'introduisait par quelque ouverture. Et il songeait de nouveau plein de dépit contre lui-même, comme il aurait pu être bien dans la chaude isba de Grichkino ; et il se relevait, se retournait, s'enveloppait plus étroitement et s'étendait de nouveau.

Un moment, Vassili Andréitch crut entendre dans le lointain le chant des coqs. Tout joyeux, il rabattit le col de sa pelisse et écouta attentivement. Mais malgré toute son attention, il ne perçut rien d'autre que le bruit du vent qui sifflait dans les brancards et faisait claquer le mouchoir, et le crépitement de la neige contre les parois du traîneau.

Nikita n'avait plus bougé depuis qu'il s'était installé derrière le traîneau, et il ne répondait même pas à Vassili Andréitch qui l'avait interpellé une ou deux fois. « Il ne s'en fait pas, lui ! Il dort probablement », songeait avec dépit Vassili Andréitch en se penchant par-dessus l'arrière du traîneau et en regardant Nikita couvert de neige.

Vassili Andréitch se releva et se recoucha une vingtaine de fois au moins. Il lui semblait que cette nuit n'aurait pas de fin. « Maintenant, sans doute, le matin approche », se dit-il enfin en se levant et en regardant autour de lui. « Si je tirais ma montre ! J'aurai froid si je me découvre. Mais si je vois que le jour approche, ça m'égaiera. On pourra atteler. »

Au fond de l'âme, Vassili Andréitch savait que le jour devait être encore loin ; mais il avait de plus en plus peur et il voulait à la fois vérifier son sentiment et se mentir à lui-même. Il défit avec prudence les crochets de sa pelisse, et glissant sa main sous ses vêtements, il tâtonna longtemps avant d'atteindre son gilet. Il en tira à grand-peine sa montre en argent ornée de fleurs en émail et la regarda. Mais on n'y voyait rien sans allumettes. Il se coucha sur ses coudes et sur ses genoux comme tantôt, lorsqu'il avait allumé sa cigarette, et s'y prenant cette fois-ci plus soigneusement, il choisit, en les tâtant du doigt, la plus grosse de ses allumettes, et réussit dès la première tentative à lui faire prendre feu. Il glissa la montre sous la flamme, regarda et ne put en croire ses yeux... Il n'était que minuit dix. La nuit ne faisait que commencer.

« Oh ! qu'elle est donc longue cette nuit ! » se dit Vassili Andréitch ; un frisson glacial lui courut dans le dos. S'étant reboutonné et recouvert avec soin, il se coucha dans le coin du traîneau, se disposant à patienter.

Soudain, à travers l'ululement monotone du vent, il perçut nettement un nouveau son, un son dû à un être vivant : il monta progressivement, se déploya, puis diminua d'intensité avec la même régularité. C'était un loup ; nul doute à cet égard. Et ce loup était si près qu'on entendait nettement comment il faisait moduler sa voix en mouvant ses mâchoires. Vassili Andréitch, écartant son col, écouta attentivement. Le *Bai* lui aussi écoutait, agitant ses oreilles. Et quand le loup acheva son hurlement, il fit un écart et s'ébroua en manière d'avertissement. Après cela, Vassili Andréitch ne fut plus capable non seulement de dormir, mais même de lutter contre son inquiétude. Quoi qu'il fît pour ramener ses pensées vers ses affaires, vers sa situation et sa richesse, la terreur s'emparait de lui davantage ; toutes ses pensées étaient dominées par le regret de n'être pas resté à Grichkino.

« Que Dieu la prenne cette forêt ! J'avais assez d'affaires avantageuses sans elle, grâce à Dieu ! Ah ! il aurait fallu loger à Grichkino ! se répétait-il. On dit que le froid vous prend surtout si l'on a bu. Or, j'ai bu. » Et il sentit qu'il commençait à trembler sans pouvoir se rendre compte s'il tremblait de peur ou de froid. Il essaya de se couvrir et de s'étendre comme auparavant, mais il n'en était plus capable. Il ne pouvait plus rester en place. Il avait envie de se lever, d'entreprendre quelque chose pour étouffer la terreur qui s'élevait en lui et contre laquelle il se sentait impuissant. Il tira de nouveau de sa poche une cigarette et des allumettes ; mais il n'en restait que trois, les plus mauvaises. Aucune d'elles ne prit feu.

« Que le diable t'emporte, maudite ! » injuria-t-il on ne sait qui, et il lança au loin la cigarette toute fripée. Il voulut jeter aussi la boîte d'allumettes, mais il se ravisa et la glissa dans sa poche. Une telle angoisse l'envahit qu'il ne fut plus capable de rester en place. Il sortit du traîneau et, se plaçant le dos au vent, il se mit à défaire sa ceinture pour l'enrouler ensuite de nouveau autour de la taille en la resserrant.

« Qu'ai-je à rester ici à attendre la mort ? J'enfourche le cheval, et en avant ! se dit-il tout à coup. Avec un cavalier le cheval s'en tirera. Quant à lui, songea-t-il à Nikita, ça lui est bien égal de mourir. Sa vie n'est pas gaie, il n'en a cure. Mais moi, grâce à Dieu, j'ai de quoi vivre... »

Et ayant détaché le cheval, il lui passa la bride et voulut monter dessus ; mais sa pelisse et ses bottes étaient si lourdes qu'il tomba. Alors il se mit debout sur le traîneau pour atteindre le dos du cheval ; mais le traîneau oscilla sous son poids et il tomba de nouveau. Enfin, la troisième tentative fut plus heureuse : il amena le cheval près du traîneau et ayant prudemment posé son pied sur le rebord du véhicule, il réussit à se coucher sur le ventre en travers du cheval. Après être resté allongé ainsi quelques instants, il parvint, après deux, trois efforts, à faire passer une de ses jambes par-dessus l'animal et il s'assit, les pieds appuyés sur la courroie de l'avaloir. L'oscillation que Vassili Andréitch avait imprimée au traîneau réveilla Nikita ; il se souleva, et Vassili Andréitch crut qu'il lui disait quelque chose.

« Je serais bien bête de vous écouter, vous autres, imbéciles ! Alors quoi ? Je devrais me laisser mourir ici pour rien ? » cria Vassili Andréitch.

Et tout en ramenant sur ses jambes les pans de sa pelisse que le vent faisait voltiger, il poussa le cheval dans la direction où devaient se trouver, d'après lui, la forêt et la cabane du garde.

VII

DEPUIS le moment où il s'était assis, enveloppé dans la serpillière, sous l'arrière du traîneau, Nikita était demeuré immobile. Comme tous ceux qui vivent près de la nature et qui connaissent la misère, il était patient et pouvait attendre des heures, des journées entières sans éprouver ni inquiétude, ni irritation. Il avait entendu les appels de son maître, mais n'y avait pas répondu, parce qu'il ne voulait ni remuer, ni parler. Bien qu'il eût encore chaud à cause du thé qu'il avait bu et du mouvement qu'il s'était donné en se débattant dans les tas de neige, il savait que cette chaleur ne se maintiendrait pas longtemps et qu'il n'aurait pas la force de se réchauffer en remuant, car il se sentait aussi fatigué que l'est un cheval quand il s'arrête et est incapable d'avancer malgré les coups de fouet ; et alors son maître voit qu'il faut le nourrir pour qu'il puisse se remettre à travailler. Un de ses pieds, chaussé d'une botte trouée, était déjà froid, et Nikita ne sentait plus son orteil. D'ailleurs, le froid gagnait peu à peu tout son corps. La pensée qu'il pouvait, qu'il devait même vraisemblablement périr cette nuit, lui vint à l'esprit ; mais cette pensée ne lui parut pas très désagréable, ni trop effrayante. Elle ne lui parut pas trop désagréable, parce que son existence n'avait nullement été une fête continuelle, mais avait été au contraire une servitude incessante et dont il commençait à être las. Et cette pensée ne lui parut pas très effrayante, parce que, les maîtres qu'il servait ici-bas mis à part, tel Vassili Andréitch, il sentait toujours qu'il dépendait en cette vie du Maître principal, de Celui qui l'avait envoyé dans cette vie ; et il savait qu'en mourant il continuait à dépendre de ce Maître, et que ce Maître ne lui ferait pas de mal. « Dommage d'abandonner tout ça, avec quoi l'on a vécu, à quoi l'on est habitué ! Mais que faire ! Il faut aussi s'habituer au nouveau. Et mes péchés ? » se demanda-t-il ; et il se rappela son ivrognerie, l'argent qu'il avait dépensé à boire, les mauvais traitements infligés à sa femme, ses jurons, l'église où il n'allait que rarement, le jeûne qu'il n'observait pas, et tous les péchés que le pope lui reprochait à confesse. « Oui, c'est vrai, mes péchés sont nombreux. Mais est-ce moi qui m'en suis chargé ? C'est Dieu qui m'a fait tel. Oui, les péchés ! Mais comment les éviter ? » Ainsi songeait-il à ce qui pouvait lui advenir cette nuit. Mais ensuite il n'y pensa plus et s'abandonna aux souvenirs qui naissaient d'eux-mêmes en son esprit. Tantôt il se rappelait l'arrivée de Marfa, les beuveries des ouvriers et son vœu ; tantôt c'était leur départ la veille, l'isba de Tarass et les conversations au sujet du partage ; tantôt, c'était son gars ou le *Bai* qui se réchauffait maintenant sous la couverture ; parfois aussi il songeait à son maître qui faisait grincer le traîneau en s'agitant : « Le pauvret est bien malheureux lui-même, je pense, de n'être pas resté à Grichkino. Une pareille existence ! on n'a pas envie de la quitter... C'est bien autre chose que nous autres ! » Tous ces souvenirs peu à peu se confondirent, il s'endormit.

Quand Vassili Andréitch fit osciller le traîneau en grimpant sur le cheval, l'arrière auquel s'appuyait Nikita s'écarta, et l'un des patins le heurta dans le dos. Il se réveilla et fut obligé, bon gré mal gré, de changer de position. Il détendit avec peine ses jambes, écarta la couche de neige qui les recouvrait et se mit debout. Et aussitôt il se sentit douloureusement transpercé par le froid. Comprenant bien ce qui se passait, il avait appelé Vassili Andréitch pour lui demander de laisser le balin dont le cheval n'avait plus besoin maintenant, mais dans lequel lui, Nikita, aurait pu s'envelopper.

Mais Vassili Andréitch partit sans lui répondre et disparut dans la poussière neigeuse qui tourbillonnait autour d'eux.

Demeuré seul, Nikita, réfléchit un instant à ce qu'il allait faire. Il se sentait incapable de marcher à la recherche de quelque logis. Il ne pouvait pas non plus se rasseoir à sa place qu'il venait d'abandonner, car elle avait déjà disparu sous la neige. Il sentait qu'il ne se réchaufferait pas dans le traîneau, car il n'avait rien pour se couvrir, son caftan et sa pelisse ne pouvant plus le protéger contre le froid. Il avait aussi froid que s'il n'avait eu qu'une chemise.

Il eut peur.

« Père céleste ! » dit-il, et le sentiment qu'il n'était pas seul, que quelqu'un l'entendait et ne l'abandonnerait pas, le tranquillisa.

Il soupira profondément et, sans enlever la serpillière qui recouvrait sa tête, il monta dans le traîneau et s'y étendit à la place de son maître.

Mais dans le traîneau non plus il ne parvenait pas à se réchauffer. Un tremblement secouait son corps ; puis ce tremblement cessa et peu à peu il perdit connaissance. Il ne savait pas s'il mourait ou s'il s'endormait, mais il se sentait prêt aussi bien à l'un qu'à l'autre.

VIII

PENDANT ce temps, Vassili Andréitch, frappant le cheval des jambes et de la bride, poussait l'animal dans la direction où il pensait, on ne sait pourquoi, que devaient se trouver la forêt et la cabane du garde. La neige l'aveuglait et le vent, semblait-il, voulait l'arrêter ; mais penché en avant, ramenant sans cesse les pans de sa pelisse et les fourrant entre ses cuisses et la sellette glacée qui l'incommodait beaucoup, il forçait l'allure du cheval qui, bien qu'à grand-peine, courait l'amble dans la direction où l'homme voulait aller.

Ils avancèrent ainsi pendant cinq minutes, toujours tout droit, semblait-il à Vassili Andréitch qui ne voyait rien d'autre que la tête du cheval et le désert blanc tout autour, qui n'entendait rien d'autre que les sifflements du vent près du col de sa pelisse.

Soudain il aperçut quelque chose de noir devant lui. Son cœur battit joyeusement, et il dirigea sa monture vers cette masse noire, croyant déjà y distinguer les murs des maisons du village. Mais la chose noire n'était pas immobile ; elle ne cessait de bouger. Ce n'était nullement une maison, mais de hautes armoises qui avaient poussé dans une dérayure et qui s'agitaient désespérément sous la poussée du vent qui les courbait d'un côté et sifflait dans les ramures. Et l'on ne sait pour quelle raison, la vue de ces armoises, que tourmentait la tempête implacable, fit tressaillir de terreur Vassili Andréitch ; et il poussa son cheval en avant, sans s'apercevoir qu'en s'approchant des armoises il avait changé de direction. Il avançait maintenant dans un autre sens, tout en s'imaginant qu'il allait droit vers la forêt et la cabane. Mais le cheval tournait tout le temps à droite, et c'est pour cela qu'il le dirigeait vers la gauche.

Et de nouveau il distingua quelque chose de noir devant lui. Il se réjouit, certain que cette fois ce devait être le village. Mais c'était la même dérayure et les mêmes armoises que fouettait le vent, et qui, on ne sait pourquoi, remplissaient Vassili Andréitch de terreur. Non seulement c'étaient les mêmes herbes sèches, mais auprès d'elles on distinguait les traces de pas d'un cheval, que le vent nivelait déjà. Vassili Andréitch s'arrêta, se pencha, regarda attentivement : un cheval avait passé par là et ce ne pouvait être que le sien. Vassili Andréitch tournait évidemment en cercle dans un petit espace. « Je vais périr si je continue ainsi », se dit-il ; mais pour lutter contre sa terreur, il se mit à presser son cheval encore davantage, s'efforçant de percer du regard la brume neigeuse dans laquelle il lui semblait voir scintiller des points lumineux qui disparaissaient aussitôt qu'il les fixait. Une fois il crut entendre des aboiements de chiens ou des hurlements de loups. Mais ces sons étaient si faibles, si indistincts, qu'il ne pouvait se rendre compte s'il entendait vraiment quelque chose ou bien s'il s'illusionnait. S'arrêtant, il prêta l'oreille, tâchant de saisir le moindre son.

Soudain, un cri épouvantable, assourdissant, retentit à ses oreilles et il se sentit secoué d'un tremblement convulsif. Vassili Andréitch embrassa le cou du cheval, mais ce cou tremblait aussi et l'horrible cri devint encore plus épouvantable. Durant quelques secondes Vassili Andréitch ne put reprendre ses esprits et se rendre compte de ce qui se passait. Or il s'était produit tout simplement ceci que pour se donner du courage ou bien pour appeler au secours, le *Bai* s'était mis à hennir de toute la force de ses poumons. « Que la mort te prenne, maudit ! jura Vassili Andréitch. Comme il m'a effrayé ! » Mais même après avoir compris la vraie cause de sa terreur, il ne parvint pas à la surmonter.

« Il faut réfléchir, il faut se calmer », se disait-il ; mais il était incapable de se ressaisir et ne cessait de presser sa monture, sans voir qu'il avait maintenant le vent dans le dos et non plus en face comme auparavant. Il avait froid, il avait mal partout et particulièrement à l'endroit où son corps se trouvait en contact avec la sellette ; ses mains et ses pieds tremblaient, sa respiration était haletante. Il sentait qu'il allait périr au milieu de cet affreux désert de neige, mais ne voyait aucun moyen de salut.

Tout à coup le cheval s'effondra sous lui et plongea dans un amas de neige ; en se débattant il tomba sur le côté. Vassili Andréitch sauta dans la neige, faisant glisser la sellette sur laquelle il s'était appuyé en sautant. Dès que Vassili Andréitch l'eut délivré, le cheval se redressa, prit son élan, fit deux bonds et disparut de la vue de son maître en hennissant et en traînant derrière lui le balin et l'avaloir. Vassili Andréitch resta seul, à moitié enseveli dans la neige. Il voulut se précipiter après sa monture, mais la neige était si profonde et ses pelisses étaient si lourdes qu'il ne put faire plus d'une vingtaine de pas en trébuchant et s'arrêta, tout essoufflé. « La forêt, les fermages, la boutique, les cabarets, la maison, le hangar sous toit de fer, l'héritier... Qu'adviendra-t-il de tout cela ? Qu'est-ce qui m'arrive ? C'est impossible ! » se dit-il brusquement. Et il se souvint soudain des armoises que le vent secouait et devant lesquelles il était passé deux fois, et une épouvante telle le saisit qu'il refusa de croire à la réalité de ce qui lui arrivait... « N'est-ce pas un rêve ? » se demanda-t-il ; et il voulut se réveiller. Mais cette neige était bien réelle qui fouettait son visage, recouvrait ses vêtements et glaçait sa main droite dont il avait perdu le gant ; et il était bien réel ce désert où il se trouvait maintenant seul, comme ces armoises, dans l'attente d'une mort inévitable, rapide et inepte.

« Mère céleste ! Saint père Nicolas, modèle d'abstinence ! » Il se rappela l'office de la veille, à l'église, l'icône au visage noirci dans un cadre doré, et les cierges qu'il vendait, que les fidèles allumaient devant cette icône et qu'on lui rapportait aussitôt presque entiers pour qu'il les cachât dans le tiroir de sa caisse. Et il se mit à prier ce même thaumaturge Nicolas, lui promettant une messe et des cierges. Mais il comprit aussitôt très clairement, sans nul doute possible, que l'icône, les cierges, le prêtre, les messes, tout cela était fort important, tout cela était nécessaire là-bas, à l'église, mais que toutes ces choses ne pouvaient lui être d'aucun secours ici, qu'entre ces cierges et ces messes d'une part et sa situation désespérée d'autre part, il n'y avait, il ne pouvait y avoir aucun rapport.

« Il ne faut pas se laisser abattre, songea-t-il. Il faudrait suivre les traces du cheval, car elles vont disparaître. Elles me guideront et je le rattraperai. Le tout est de ne pas se hâter ; autrement je m'éreinterai, et alors je suis perdu. » Mais bien qu'il eût résolu de marcher lentement, il se précipita en avant et se mit à courir, tombant sans cesse, se relevant et retombant de nouveau. Les traces n'étaient plus qu'à peine visibles, là surtout où la neige n'était pas profonde.

« Je vais périr, se dit Vassili Andréitch. Je perdrai les traces et ne pourrai rattraper le cheval. » Mais au même instant, levant les yeux, il aperçut une tache noire. C'était le *Bai,* et c'était aussi le traîneau, et les brancards avec le mouchoir. Le *Bai,* l'avaloir de travers, se tenait non plus à son ancienne place mais plus près des brancards, et secouait la tête, l'extrémité de la bride s'étant enroulée autour de sa jambe. Il se trouva que Vassili Andréitch était tombé dans ce même tas de neige dans lequel ils s'étaient effondrés auparavant avec Nikita, que le cheval l'avait ramené auprès du traîneau et qu'il l'avait abandonné ensuite à une cinquantaine de pas.

IX

PARVENU auprès du traîneau, Vassili Andréitch en empoigna le rebord et resta ainsi quelque temps debout, essayant de reprendre souffle et de se calmer. Nikita n'était plus à son ancienne place ; mais Vassili Andréitch aperçut dans le traîneau une sorte de tas, recouvert de neige, et il devina que c'était Nikita. La terreur de Vassili Andréitch s'était complètement dissipée, et s'il craignait encore quelque chose, c'était précisément le retour de cette peur atroce qui s'était emparée de lui lorsqu'il errait à cheval et surtout au moment où il se trouva seul, abandonné dans la neige. Il fallait par tous les moyens empêcher cette peur de renaître, et pour l'écarter, il était nécessaire d'agir, de s'occuper à quelque besogne. La première chose qu'il fit donc fut de se placer le dos au vent et de défaire sa pelisse. Ensuite, aussitôt qu'il eut repris souffle, il enleva ses bottes et les secoua afin de se débarrasser de la neige qui s'y était introduite ; il fit de même pour son gant gauche ; quant au gant droit, il était irrémédiablement perdu, enseveli déjà sous la neige. Puis il défit sa ceinture, la resserra et la renoua de nouveau très bas, comme il avait l'habitude de le faire lorsqu'il sortait de sa boutique pour examiner le blé que les paysans venaient lui vendre.

Lorsqu'il fut ainsi prêt à agir, la première besogne qui se présenta à lui fut de libérer la jambe du cheval. C'est ce que fit Vassili Andréitch ; puis il attacha de nouveau le *Bai* au devant du traîneau, au même endroit qu'auparavant, et voulut passer derrière le cheval pour remettre en place l'avaloir, la sellette et le balin ; mais au même moment il vit que quelque chose remuait dans le traîneau : la tête de Nikita se dressa de dessous la couche de neige qui le recouvrait. Avec un effort visible, Nikita, que le froid avait déjà saisi, se souleva, s'assit et se mit à agiter étrangement sa main devant son nez comme s'il chassait des mouches. Il agitait sa main et disait quelque chose. Vassili Andréitch comprit qu'il l'appelait ; abandonnant alors le balin dont il était en train de recouvrir le cheval, Vassili Andréitch s'approcha du traîneau.

« Qu'as-tu ? demanda-t-il à Nikita. Que dis-tu ?

— Voilà ! je... meurs, prononça avec difficulté, d'une voix saccadée, Nikita... Ce que tu me... dois, donne-le... au gars... ou à ma femme... N'importe...

— Quoi... tu es congelé ? demanda Vassili Andréitch.

— Je le sens... c'est la mort. Pardonne... au nom du Christ », dit Nikita d'une voix pleurante en continuant d'agiter ses mains devant son visage comme s'il chassait des mouches.

Vassili Andréitch resta quelques secondes immobile et silencieux, puis, brusquement, de ce même air décidé qu'il prenait pour frapper dans la main d'un client en concluant une affaire avantageuse, il recula d'un pas, releva les manches de sa pelisse et se mit à rejeter des deux mains la neige qui recouvrait Nikita et le traîneau. Ayant rejeté la neige, Vassili Andréitch défit sa pelisse et, poussant

Nikita au fond du traîneau, il s'étendit sur lui, le recouvrant ainsi de sa pelisse, de son corps brûlant. Ayant glissé les pans de la pelisse entre les parois du traîneau et Nikita, Vassili Andréitch, tout en les maintenant sous ses genoux, resta couché sur le ventre, la tête appuyé contre le devant du traîneau. Il n'entendait plus maintenant ni les mouvements du cheval ni les sifflements de la tempête, mais tendait seulement l'oreille au souffle de Nikita. Nikita demeura d'abord quelque temps immobile, puis il soupira et bougea légèrement.

« Voilà ce que c'est ! et toi, tu disais : je meurs. Reste bien tranquille, réchauffe-toi. Nous autres, c'est comme ça... »

Mais à son grand étonnement, Vassili Andréitch ne put continuer, car ses yeux se remplirent de larmes et sa mâchoire inférieure se mit à trembler convulsivement. Il cessa de parler, s'efforçant de ravaler ce qui lui montait à la gorge. « J'ai eu trop peur, songea-t-il, je suis trop affaibli. » Cependant, non seulement cette faiblesse ne lui était pas désagréable, mais elle lui faisait éprouver au contraire une joie singulière qu'il n'avait jamais encore connue.

« Nous autres, c'est comme ça... », se disait-il, se laissant aller à une sorte d'attendrissement solennel très particulier. Il resta ainsi étendu en silence assez longtemps, essuyant ses yeux à la fourrure de la pelisse et serrant de son genou droit le pan de cette pelisse que le vent s'efforçait de lui arracher.

Mais le désir de faire part à quelqu'un de sa joie s'empara de lui avec une force telle qu'il dit :

« Nikita !

— C'est bon, j'ai chaud, répondit la voix de Nikita de dessous Vassili Andréitch.

— Oui, frère, c'est comme ça. J'ai failli périr. Tu serais mort de froid, et moi aussi... »

Mais ses mâchoires se mirent de nouveau à trembler et ses yeux se remplirent encore de larmes. Il ne put continuer.

« Ce n'est rien, songea-t-il. Je sais bien ce que je sais. » Et il se tut. Il resta longtemps ainsi.

La tiédeur du corps de Nikita étendu sous lui et la pelisse qui recouvrait son dos le pénétraient de chaleur ; cependant, les mains de Vassili Andréitch qui retenaient les pans de la pelisse, et ses pieds que le vent découvrait sans cesse, commençaient à se refroidir. Il avait surtout froid à la main droite, qui était nue. Mais il ne pensait ni à ses pieds, ni à ses mains. Il ne pensait qu'à réchauffer l'homme qui était couché sous lui.

Il jeta plusieurs fois un coup d'œil sur le cheval, et vit que le dos de la bête était découvert, le vent ayant jeté à bas le balin et l'avaloir. Il se dit qu'il aurait fallu se lever et recouvrir le cheval, mais il ne pouvait se résoudre à abandonner, ne fût-ce que pour un moment, Nikita et à troubler cette joie qui était en lui. Il n'éprouvait maintenant nulle terreur.

« Rien à craindre, il n'y échappera pas ! » se disait-il en songeant à la façon dont il réchauffait Nikita, avec le même sentiment de satisfaction qu'il éprouvait à vanter ses achats et ses ventes.

Une heure, puis deux, puis trois s'écoulèrent ainsi. Vassili Andréitch ne remarquait plus la marche du temps. Au commencement il revoyait en imagination la tempête, les brancards dressés, le cheval sous la douga ; il songeait aussi à Nikita couché sous lui. Ensuite, à ces images vinrent s'entremêler des souvenirs : il se rappela la fête du village, sa femme, l'officier de police, le tiroir de la caisse où il enfermait les cierges, et sous laquelle se trouva tout à coup étendu Nikita. Puis il vit des paysans qui achetaient et qui vendaient, des murs blancs, des maisons à toitures de fer et sous lesquelles il retrouvait de nouveau Nikita. Enfin, tout se confondit ; une image absorba l'autre, et de même que les différentes couleurs de l'arc-en-ciel en se mélangeant donnent le blanc, toutes ses impressions en se confondant s'évanouirent, et il s'endormit.

Il dormit longtemps d'un sommeil sans visions. Mais vers le matin il eut un rêve. Il se vit à l'église, debout auprès du tiroir où il vendait les cierges. La femme de Tikhon lui achète un cierge de cinq kopecks pour l'allumer devant l'icône dont c'est la fête. Il veut prendre le cierge et le lui donner, mais ses mains qu'il tient serrées dans ses poches ne lui obéissent pas. Il veut faire le tour de la caisse, mais ses pieds n'avancent pas, et ses caoutchoucs tout neufs, bien brillants, sont collés au plancher ; impossible de les soulever. Puis, brusquement, la table n'est plus une table, mais un lit ; et Vassili Andréitch se voit couché sur le ventre sur ce lit, dans sa propre maison. Il est étendu sur son lit et ne peut se lever ; or, il lui faut se lever, car l'officier de police, Ivan Matvéitch, doit venir le prendre pour aller ensemble conclure l'achat de la forêt, ou bien est-ce peut-être pour remettre en place l'avaloir du *Bai* ? Et Vassili Andréitch demande à sa femme : « Eh bien, Nicolaïevna, il n'est pas encore venu ? — Non, répond la femme, il n'est pas là. » Et il entend que quelqu'un s'approche du perron. C'est lui, probablement ! Non, il passe sans s'arrêter. « Eh bien, Nicolaïevna, il n'est pas encore là ? — Non. » Et lui, il est couché sur son lit et ne peut se lever, et il attend ; et cette attente est un peu craintive et joyeuse. Et soudain, la joie s'accomplit. Arrive celui que Vassili Andréitch attendait ; et ce n'est pas Ivan Matvéitch, l'officier de police, c'est un autre, et c'est précisément celui que Vassili Andréitch attendait. Il arrive et il l'appelle ; et celui qui l'appelle est celui-là même qui lui avait dit tantôt de s'étendre sur Nikita pour le réchauffer. Et Vassili Andréitch est tout joyeux que celui-là soit venu le chercher. « Je viens ! » s'écrie-t-il joyeusement, et ce cri le réveille.

Il se réveille, mais il se réveille tout autre qu'il s'était endormi. Il veut se lever, et il en est incapable ; il veut remuer la main, impossible ; le pied, impossible aussi. Il veut remuer la tête — non plus. Cela l'étonne beaucoup, mais il n'en est nullement désolé. Et il se rappelle que Nikita est couché sous lui, qu'il a chaud et qu'il vit ; et il lui semble que lui, Vassili Andréitch, c'est Nikita et que Nikita, c'est lui, et que sa vie à lui n'est pas en lui mais en Nikita. Il écoute et il entend la respiration et même les légers ronflements de Nikita. « Nikita vit, c'est donc que je vis aussi », se dit-il avec une joie triomphale.

Et il se souvient de son argent, de sa boutique, de sa maison, des ventes et des achats et des millions des Mironov. Il lui est difficile de comprendre pourquoi cet homme qu'on appelait Vassili Brékhounov se préoccupait de toutes ces choses-là. « Oui, il ne savait pas de quoi il s'agissait, se disait-il en songeant à Vassili Brékhounov. Il ne le savait pas comme je le sais maintenant. Il n'y a plus d'erreur maintenant. *Maintenant je le sais.* » Et de nouveau, il entend l'appel de celui qui l'avait interpellé tantôt. « Je viens, je viens ! » crie tout son être plein d'une allégresse attendrie. Et il sent qu'il est libre et que rien ne le retient plus.

Et Vassili Andréitch après cela ne vit, n'entendit, ne sentit plus rien dans ce monde.

La tempête continuait toujours. La neige dansait en tourbillons épais et recouvrait le corps de Vassili Andréitch, le *Bai* glacé qui tremblait de tous ses membres, le traîneau déjà plus qu'à moitié enseveli, et tout au fond du traîneau, sous son maître mort de froid, Nikita qui dormait, réchauffé.

X

VERS le matin, Nikita se réveilla. Il fut réveillé par une sensation de froid qui de nouveau l'avait saisi. Il avait vu en rêve qu'il conduisait au moulin une charrette chargée de blé, et qu'en traversant une rivière il s'était embourbé. Il se voit sous la charrette qu'il s'efforce de soulever en bombant le dos. Mais chose étrange ! La charrette ne bouge pas ; on la dirait collée à son dos, et il ne peut ni soulever la charrette, ni sortir de dessous elle. Elle lui écrase les reins. Dieu ! qu'elle est froide ! Il faut absolument qu'il se redresse. « Assez, donc ! dit-il à celui qui lui écrase les reins sous la charrette. Enlève les sacs ! » Mais la charrette est de plus en plus froide ; elle l'écrase. Et soudain, il sent des choses étranges ; il se réveille complètement et se souvient de tout. La charrette glacée, c'est son maître mort qui est couché sur lui. Et les chocs qu'il a ressentis, c'est le *Bai* qui, par deux fois, de son sabot a heurté le traîneau.

« Andréitch ! Andréitch ! » interpelle prudemment Nikita qui pressent la vérité et bombe le dos. Mais Andréitch ne répond pas, et son ventre et ses jambes sont aussi durs, aussi lourds et froids que des poids de fonte.

« Il doit être mort ! que Dieu soit avec lui ! » songe Nikita.

Il tourne la tête, fait un trou dans la neige avec sa main et ouvre les yeux. Il fait clair. Le vent continue à siffler dans les brancards, et la neige tombe toujours, avec cette différence qu'elle ne cingle plus les parois du traîneau, mais ensevelit silencieusement le traîneau et le cheval qui ne remue plus et dont on ne perçoit même plus la respiration. « Lui aussi doit être mort », se dit Nikita. Et en effet, c'était en faisant un suprême effort pour se tenir sur ses jambes que le *Bai*, complètement raidi par le froid, avait heurté le traîneau de ses sabots, réveillant ainsi Nikita.

« Seigneur ! Père céleste ! Moi aussi je vais être appelé auprès de Toi ! Que Ta sainte volonté soit faite ! C'est pénible, cependant. Mais on ne meurt pas deux fois. Pourvu que cela ne traîne pas ! »

Il rentre sa main, il ferme les yeux, il s'assoupit, bien persuadé que cette fois il va mourir pour tout de bon.

Ce fut le lendemain seulement, à l'heure du dîner, que les paysans déterrèrent Vassili Andréitch et Nikita à trente sagènes de distance de la route et à une demi-verste du village.

La neige avait complètement recouvert le traîneau, mais les brancards avec le mouchoir se voyaient encore. Le *Bai*, à mi-ventre dans la neige, l'avaloir et le balin de travers, se tenait debout, tout blanc, sa tête décharnée rentrée dans ses épaules ; ses naseaux étaient remplis de glace, ainsi que ses yeux, comme baignés de larmes gelées. Il avait à tel point maigri en une nuit qu'il ne lui restait plus que les os et la peau.

Le corps de Vassili Andréitch était aussi rigide qu'une pièce de viande congelée. Lorsqu'on souleva ce corps, il demeura les jambes largement écartelées, tel qu'il s'était étendu sur Nikita. Ses yeux d'épervier, ronds et saillants, étaient gelés et sa bouche, sous ses moustaches taillées en brosse, était bourrée de neige.

Nikita, lui, vivait encore, bien que son corps fût gelé par places. Lorsqu'on le réveilla, il s'imagina qu'il était déjà mort et que ce qui lui arrivait se passait dans l'autre monde. Quand il entendit les cris des paysans qui déblayaient le traîneau et soulevaient le corps de Vassili Andréitch, il fut tout étonné au premier instant qu'il y eût des corps dans l'autre monde et que l'on s'y disputât comme dans celui-ci ; mais quand il comprit qu'il était encore sur la terre, il en fut plutôt peiné que content, surtout quand il sentit que ses doigts de pied étaient gelés.

Nikita passa deux mois à l'hôpital. On lui enleva trois doigts ; les autres guérirent, et il put se remettre au travail. Il vécut encore vingt ans, travaillant d'abord comme valet de ferme ; plus tard, devenu vieux, il fut veilleur de nuit. Il est mort cette année seulement, chez lui, à la maison, ainsi qu'il le désirait, sous les icônes, un cierge allumé entre les mains. Avant de mourir, il demanda pardon à sa vieille, il dit adieu à son garçon et à ses petits-enfants ; et il mourut sincèrement heureux de délivrer ainsi son fils et sa bru d'une bouche inutile et de quitter définitivement cette vie dont il avait assez, pour une autre vie qui, à mesure que les années s'écoulaient, lui apparaissait plus compréhensible, plus attirante.

Est-il mieux ou moins bien dans ce monde où il s'est réveillé après sa mort définitive ? A-t-il éprouvé une déception ou bien a-t-il trouvé là-bas précisément ce qu'il attendait et espérait ? Nous le saurons tous bientôt.

TROIS MORTS

RÉCIT

(1859)

Traduit par Bienstock

C'ÉTAIT l'automne. Deux équipages trottaient rapidement sur la grande route. Deux femmes étaient assises dans la première voiture. L'une, la maîtresse, était maigre et pâle, l'autre, la femme de chambre, rouge, luisante et grosse. Des cheveux courts, secs, s'échappaient de son chapeau démodé ; de sa main rouge, au gant déchiré, elle les rajustait prestement. Sa forte poitrine, couverte d'un plaid, respirait la santé. Les yeux mobiles, noirs, suivaient, à travers les vitres, les champs qui fuyaient, ou regardaient timidement la maîtresse, ou bien jetaient un regard inquiet dans le coin de la voiture. Devant le nez de la femme de chambre, se balançait le chapeau de la maîtresse attaché au filet ; sur ses genoux, elle tenait un petit caniche ; ses jambes, soulevées par les caisses qui encombraient le véhicule, les frappaient à peu près en mesure, selon le balancement bruyant des ressorts et le tremblement des vitres.

Les mains croisées sur les genoux, les yeux clos, la maîtresse se balançait faiblement sur les coussins placés derrière son dos ; elle fronçait un peu les sourcils, toussait d'une manière contenue. Elle avait sur la tête un bonnet de nuit blanc, et un fichu bleu s'attachait sous son cou délicat et blanc. Une raie droite, qui se perdait sous le bonnet, divisait ses cheveux blonds très plats et pommadés, et la blancheur de cette large raie avait quelque chose de sec et de livide.

La peau fanée, un peu jaunâtre, ne serrait pas trop les traits fins et polis de son visage et prenait un reflet rouge sur les pommettes. Les lèvres étaient sèches et agitées, les cils rares et droits. Le manteau de voyage, en drap, faisait des plis raides sur la poitrine creusée. Bien que les yeux fussent fermés, le visage de la malade exprimait la fatigue, l'irritation et la souffrance continue.

Le valet, appuyé sur son siège, sommeillait. Le postillon criait et fatiguait bravement ses quatre grands chevaux en sueur et se retournait quelquefois vers le postillon qui conduisait l'autre voiture. Les traces larges et parallèles des roues s'allongeaient régulièrement sur la boue de terre glaise de la chaussée. Le ciel était gris et froid. Le brouillard humide tombait sur les champs et sur la route. Dans la voiture, l'air était suffocant, imprégné d'une odeur d'eau de Cologne et de poussière.

La malade tourna la tête et, lentement, ouvrit les yeux. Ils étaient grands, brillants et d'une belle couleur foncée.

« Encore », dit-elle en repoussant nerveusement de sa main maigre, jolie, le pan du manteau de la femme de chambre qui frôlait à peine sa jambe ; et sa bouche esquissa une moue de malade. Matriocha prit à deux mains le manteau, se souleva sur ses fortes jambes et s'assit plus loin. Son frais visage se couvrit d'une rougeur plus vive.

Les beaux yeux sombres de la malade suivaient avec anxiété les mouvements de la femme de chambre.

La maîtresse s'appuya des deux mains sur le

siège et voulut se soulever pour s'asseoir plus haut, mais ses forces la trahirent. Sa bouche se crispa et tout son visage prit une expression d'ironie méchante et impuissante : « Si encore tu m'aidais... Ah ! ce n'est pas la peine ! Je peux m'en passer ; seulement, ne mets pas sur moi tous ces sacs, je t'en prie !... Ne me touche pas plutôt si tu ne comprends pas ! »

La maîtresse ferma les yeux, et de nouveau, relevant rapidement les paupières, regarda la femme de chambre. Matriocha la regardait en mordant sa lèvre rouge. Un gros soupir s'échappa de la poitrine de la malade, mais le soupir, sans se terminer, se transforma en toux. Elle se détourna, fit une grimace, et se prit la poitrine à deux mains. Quand la toux cessa, elle referma les yeux et derechef se tint immobile.

Le coupé et la calèche arrivèrent au village. Matriocha dégagea sa grosse main de son fichu et se signa.

« Qu'est-ce ? demanda la maîtresse.

— Le relais, madame.

— Pourquoi te signes-tu, je te le demande ?

— L'église, madame. »

La malade se tourna vers la portière et lentement se signa en regardant, avec de grands yeux, la haute église du village que contournait la voiture.

Les équipages s'arrêtèrent ensemble près du relais.

De la calèche, sortirent le mari de la dame et le docteur. Ils s'approchèrent du coupé.

« Comment vous sentez-vous ? demanda le docteur en lui tâtant le pouls.

— Eh bien, mon amie, comment vas-tu ? Tu n'es

pas fatiguée ? demanda en français le mari. Ne veux-tu pas descendre ? »

Matriocha arrangeait les paquets et se serrait dans le coin pour ne pas gêner la conversation.

« Rien... toujours pareil, répondit la malade. Je ne descendrai pas. »

Le mari resta un instant près du coupé puis entra au relais. Matriocha, bondissant de la voiture, courut dans la boue sur la pointe des pieds, jusqu'à la porte cochère.

« Si je me sens mal, ce n'est pas une raison pour que vous ne déjeuniez pas », dit la malade, avec un faible sourire, au docteur qui se tenait près de la portière.

« Aucun d'eux ne s'intéresse à moi », se dit-elle pendant que le docteur, qui s'éloignait, gravissait rapidement les marches du relais. « Ils vont bien, alors tout leur est égal ; oh ! mon Dieu ! »

« Eh bien, Edouard Ivanovitch, dit le mari en allant au-devant du docteur et se frottant les mains avec un sourire gai. J'ai ordonné d'apporter la cantine, qu'en pensez-vous ?

— Ça ira, répondit le docteur.

— Eh bien, comment va-t-elle ? demanda le mari en soupirant, baissant la voix et soulevant les sourcils.

— J'ai toujours dit qu'elle ne pourrait supporter le voyage jusqu'en Italie, mais Dieu veuille qu'elle aille jusqu'à Moscou, surtout par un pareil temps !

— Que faut-il donc faire ? Ah ! mon Dieu, mon Dieu ! Le mari se cacha les yeux avec la main.

— Donne ! fit-il au valet qui apportait la cantine.

— Il fallait rester, prononça le docteur en haussant les épaules.

— Mais que pouvais-je faire ? reprit le mari. J'ai

tout fait pour la retenir. J'ai tout objecté : nos ressources, les enfants que nous devons laisser à la maison, mes affaires —, elle n'a rien voulu entendre. Elle fait des plans pour notre séjour à l'étranger comme si elle se portait bien. Quant à lui révéler son état, ce serait la tuer.

— Mais elle est déjà perdue, vous devez le savoir, Vassili Dmitriévitch. On ne peut vivre sans poumons, et les poumons ne repoussent pas. C'est triste, c'est pénible, mais qu'y faire ? Mon affaire et la vôtre, c'est seulement d'adoucir le plus possible ses derniers jours. Un confesseur serait nécessaire.

— Ah ! mon Dieu. Mais comprenez donc ma situation, si je lui rappelle les suprêmes devoirs. Il en arrivera ce qui pourra, mais je ne lui en parlerai pas. Vous savez comme elle est bonne.

— Cependant, essayez de la persuader de rester jusqu'à l'hiver, sinon un malheur peut arriver en route... dit le docteur d'un ton important, en hochant la tête. »

« Axioucha ! Axioucha ? » criait d'une voix perçante la fille du maître de poste en jetant un fichu sur sa tête et en courant sur le perron malpropre de l'escalier de service. « Allons regarder la dame de Chirkino, on dit qu'on l'emmène à l'étranger pour guérir son mal de poitrine. Je n'ai jamais vu de poitrinaire ! »

Axioucha bondit sur le seuil, et toutes deux, se tenant par la main, coururent derrière la porte cochère. Elles passèrent devant la voiture en ralentissant le pas et regardèrent par la vitre baissée. La malade avait le visage tourné de leur côté mais, en remarquant les curieuses, elle fronça les sourcils et se détourna.

« Mes petites mères ! dit la fille du maître de relais en tournant rapidement la tête. Quelle beauté c'était et qu'est-elle devenue maintenant ?... C'est affreux. As-tu vu ? As-tu vu, Axioucha ?

— Oui, qu'elle est maigre ! affirma celle-ci. Allons encore regarder une fois, comme si nous allions vers le puits. Tu vois, elle se détourne, mais j'ai quand même pu la voir. Que c'est triste, Macha !

— Quelle boue ! » fit Macha ; et toutes deux franchirent en courant le seuil de la porte cochère.

« Je suis sans doute devenue effrayante, se dit la malade. Vite, oh ! le plus vite à l'étranger ! Là-bas, je me remettrai bientôt. »

« Eh bien, comment vas-tu, mon amie ? » demanda son mari en s'approchant de la voiture, tout en mâchant quelque chose.

« Toujours la même question, pensa la malade, mais, lui, il mange ! »

« Bien, dit-elle les dents serrées.

— Sais-tu, mon amie, je crains que la route ne te fatigue encore plus, et Edouard Ivanovitch est du même avis. — Ne faudrait-il pas mieux rentrer chez nous ? »

Elle se tut, irritée.

« Le temps se remettra, la route sera peut-être meilleure, tu iras mieux et nous partirons tous ensemble.

— Excuse-moi. Si je ne t'avais pas écouté, depuis longtemps je serais à Berlin et tout à fait guérie.

— Mais que veux-tu, mon ange ?... C'était impossible, tu le sais, et si maintenant tu attendais un mois, tu te reposerais bien, je terminerais mes affaires et nous emmènerions les enfants.

— Les enfants se portent bien, moi pas.

— Mais, mon amie, comprends donc, si par le

temps qu'il fait tu te sens plus mal en route... à la maison du moins.

— Quoi ! quoi ! à la maison !... Mourir à la maison ! » répondit aigrement la malade. Mais le mot *mourir* l'effrayait visiblement. Elle regarda son mari d'un air suppliant et interrogateur. Lui baissa les yeux et se tut. La bouche de la malade se courba tout à coup comme chez les enfants et des larmes coulèrent de ses yeux. Le mari s'enfouit le visage dans son mouchoir et, silencieux, s'éloigna de la voiture.

« Non, je partirai », dit la malade en levant les yeux au ciel.

Elle joignit les mains et se mit à murmurer des paroles incompréhensibles.

« Mon Dieu ! Pourquoi ? » disait-elle, et ses larmes coulaient plus abondantes. Elle pria longtemps, ardemment, mais, dans sa poitrine, quelque chose de douloureux l'oppressait encore.

Le ciel, les champs, la route étaient également gris et sombres ; le même brouillard d'automne tombait toujours également sur la boue de la route, sur les toits, sur la voiture, sur les touloupes des postillons qui, s'interpellant gaiement à haute voix, graissaient et astiquaient la voiture...

.. ..

*
**

L'équipage était prêt, mais le postillon tardait encore. Il était dans l'isba des postillons.

L'isba était sombre, la chaleur y était étouffante,

l'air très lourd, on y sentait l'odeur *d'habitation,* de pain frais, de choux et de peau de mouton. Quelques postillons étaient là. La cuisinière était près du poêle, sur lequel était couché un malade couvert de peaux de mouton.

« Oncle Fédor ! Hé ! oncle Fédor ! dit un jeune garçon, le postillon en touloupe, le fouet à la ceinture, en entrant dans la chambre et s'adressant au malade.

— Que veux-tu à Fedka, bavard ? fit l'un des postillons. Tu vois, on t'attend à la voiture.

— Je veux lui demander ses bottes, j'ai usé les miennes », répondit le garçon en secouant sa chevelure et en rattachant ses moufles à sa ceinture. « Est-ce qu'il dort ? Hé ! l'oncle Fédor ? répéta-t-il en s'approchant du poêle.

— Quoi ? » prononça une voix faible. Et un visage roux et maigre émergea de dessus le poêle. La main large, décharnée, décolorée, remonta l'*armiak* [1] sur l'épaule pointue couverte d'une chemise sale. « A boire, frère ! Que veux-tu ? »

Le garçon tendit un petit gobelet avec de l'eau.

« Mais quoi, Fédia ! dit-il en hésitant, je pense que maintenant tu n'as plus besoin de bottes neuves ; donne-les-moi. Je crois que tu ne marcheras plus guère. »

Le malade, penchant sa tête fatiguée vers le gobelet, et mouillant dans l'eau trouble ses moustaches rares, pendantes, but à petits coups, mais avec avidité. Sa barbe était embroussaillée, malpropre, ses yeux enfoncés, vitreux se levaient avec difficulté vers le visage du garçon. Quand il eut fini de boire, il voulut lever la main pour essuyer ses

1. Camelot de poils de chameaux.

lèvres mouillées, mais il n'y parvint pas et s'essuya sur la manche de l'*armiak*. Sans rien dire, en respirant lourdement du nez, il regardait droit dans les yeux du garçon, et rassemblait ses forces.

« Tu les as peut-être déjà promises à quelqu'un ? Alors, tant pis, prononça le garçon. Le principal, pour moi, c'est que la route est mouillée et qu'il me faut aller au travail, alors, j'ai pensé à demander ses bottes à Fedka, puisqu'elles ne lui étaient plus utiles. Si tu en as besoin, dis-le... »

Quelque chose se mit à rouler, à ronfler dans la poitrine du malade ; il se pencha, étouffé par une toux gutturale qu'il ne pouvait vaincre.

« En quoi lui seraient-elles utiles ? V'là le deuxième mois qu'il ne décolle pas du poêle, s'écria spontanément la cuisinière, d'une voix coléreuse qui emplit l'isba. Tu vois, il râle. J'en ai même mal là-dedans, quand je l'entends. Quel besoin aurait-il encore de ses bottes ? On ne l'ensevelira pas avec des bottes neuves, et il est temps enfin qu'il s'en aille, que Dieu me pardonne ! Tu vois comme il souffre ; il faut le transporter dans une autre isba ou n'importe où ! On dit qu'il y a en ville des hôpitaux ; et puis, n'est-ce pas insupportable ? Il occupe tout le coin, il n'y a plus de place, et avec ça, on exige de la propreté !

— Hé ! Sérioja ! Va, les maîtres t'attendent ! » cria du dehors le chef du relais.

Sérioja allait partir sans attendre la réponse, mais le malade, qui toussait, lui fit signe des yeux qu'il voulait répondre.

« Sérioja, prends les bottes », dit-il en suffoquant ; puis se reposant un peu : « Seulement, écoute, achète une pierre tombale, quand je mourrai, ajouta-t-il en grommelant.

— Merci, l'oncle ; alors, je les prends, et la pierre, je te jure que je l'achèterai.

— Voilà, les gas, vous avez entendu ! » prononça encore le malade ; et, de nouveau, il se pencha et commença à râler.

« Bon, nous avons entendu, dit l'un des postillons.

— Va vite, Sérioja, voilà le chef qui court de nouveau. C'est la maîtresse de Chirkino qui attend. »

Sérioja ôta vivement ses immenses bottes déchirées, et les jeta sous le banc. Les bottes neuves de l'oncle Fédor étaient justes à ses pieds, et Sérioja, en le regardant, se dirigea vers la voiture.

« Quelles belles bottes ! Donne, je les graisserai », dit le postillon qui tenait la graisse à la main, pendant que Sérioja montait sur le siège et prenait les guides. « T'en a-t-il fait cadeau ?

— En es-tu jaloux ? fit Sérioja en se levant et en enveloppant ses jambes des pans de son *armiak*. Laisse ! Hé ! vous, les amis ! » cria-t-il aux chevaux. Il brandit son fouet, et les voitures, avec les passagers, leurs valises, leurs paquets, disparurent dans le brouillard gris d'automne, en roulant rapidement sur la route mouillée.

Le postillon malade, lui, restait dans l'isba étouffante, sur le poêle, et, ne pouvant pas cracher, se retournait avec effort de l'autre côté, puis se calmait.

Dans l'isba, jusqu'au soir, ce furent des allées et venues : on parlait, on mangeait, on n'entendait pas le malade. Avant la nuit, la cuisinière monta sur le poêle et lui tira la touloupe sur les jambes.

« Ne te fâche pas après moi, Nastassia, prononça le malade, bientôt ton coin sera débarrassé.

— Bon, bon, ça ne fait rien, murmura Nastassia. Mais, l'oncle, dis donc où tu as mal.

— Tout l'intérieur est malade. Dieu sait ce qu'il y a.

— La gorge aussi doit te faire mal quand tu tousses ?

— J'ai mal partout, c'est la mort qui est rendue, voilà ! Oh ! Oh ! Oh ! gémit le malade.

— Couvre tes pieds... tiens... comme ça », dit Nastassia en le couvrant de l'*armiak* et descendant du poêle.

Pendant la nuit, une veilleuse éclairait faiblement l'isba. Nastassia et une dizaine de postillons, qui ronflaient haut, dormaient sur le sol et sur les bancs. Le malade seul geignait faiblement, toussotait et s'agitait sur le poêle. Vers le matin, il se calma tout à fait.

« J'ai fait un drôle de rêve cette nuit, dit la cuisinière, en s'étirant dans le demi-jour du matin, j'ai vu l'oncle Fédor qui descendait du poêle, il allait fendre du bois. « Donne, disait-il, Nastia, je « t'aiderai », et moi je lui répondais. « Mais tu ne « pourras pas fendre le bois » ; mais lui, il prend la hache et les copeaux volent, volent... « Assez, « dis-je, t'es malade ! — Non, dit-il, je vais bien. » Et quand il se lève, la peur me saisit, je crie et je m'éveille. Il est peut-être mort... Oncle Fédor ! Hé ! oncle Fédor ! »

Fédor ne répondait pas.

« En effet, il est peut-être mort. Faut regarder », dit l'un des postillons en se levant.

La main maigre, couverte de poils roux, pendait du poêle, elle était froide et décolorée.

« Faut aller prévenir le chef. On dirait qu'il est mort », dit un postillon.

Fédor n'avait pas de parents ; il était de loin. Le lendemain on l'enterra au nouveau cimetière, derrière le bois, et Nastassia, pendant plusieurs jours, racontait à chacun son rêve et disait s'être aperçue la première de la mort de l'oncle Fédor.

*
**

Le printemps arriva. En ville, dans les rues mouillées, des ruisselets rapides dévalaient au milieu des petits glaçons couverts de fumier. Les habits étaient clairs et les voix des gens qui circulaient sonnaient gaiement. Dans les jardins, derrière les haies, se gonflaient les premiers bourgeons, et les branches, à peine visibles, se balançaient sous un vent frais. Partout coulaient et tombaient des gouttes transparentes... Les moineaux pépiaient et voltigeaient sur leurs petites ailes. Du côté ensoleillé des haies, des maisons et des arbres, tout s'agitait et brillait. Dans le ciel, sur la terre et dans le cœur de l'homme tout était jeune et joyeux.

Dans l'une des rues principales, de la paille fraîche avait été répandue devant une grande maison de maîtres. Dans la maison se trouvait cette même malade, cette mourante, qui se hâtait pour aller à l'étranger.

Près de la porte fermée de la chambre se tenaient le mari et une femme âgée. Le prêtre assis sur un divan, les yeux baissés, tenait un objet recouvert de l'étole. Dans un coin, une vieille femme, la mère de la malade, était allongée dans un fauteuil Voltaire et pleurait amèrement. Près d'elle, une femme de chambre tenait à la main un mouchoir propre en attendant qu'elle le demandât. Une autre frottait les tempes de la vieille et, par-dessous un bonnet, éventait sa tête grise :

« Que le Christ vous aide, mon amie ! disait le mari à la femme âgée qui était debout avec lui, près de la porte. Elle a en vous une telle confiance, et vous savez si bien lui parler. Exhortez-la bien, ma colombe, allez. »

Il voulut lui ouvrir la porte, mais la cousine le retint. Elle porta plusieurs fois son mouchoir à ses yeux et secoua la tête.

« Maintenant, on ne voit plus que j'ai pleuré ? » dit-elle. Et, ouvrant la porte, elle entra.

Le mari était très ému et semblait brisé. Il se dirigea vers la vieille mais, à quelques pas d'elle, il se détourna, marcha dans la chambre et s'approcha du prêtre. Celui-ci le regarda, leva les yeux au ciel et soupira. Sa petite barbiche épaisse, grise, se souleva aussi puis s'abaissa.

« Mon Dieu ! mon Dieu ! dit le mari.

— Que faire ? dit en soupirant le prêtre ; et de nouveau ses sourcils et sa petite barbiche se soulevèrent et s'abaissèrent.

« Et sa mère qui est ici ! Elle ne le supportera pas ! dit le mari presque désespéré. L'aimer comme elle l'aimait ! Oh ! je ne sais pas... Peut-être parviendrez-vous à la calmer, mon père ; à la convaincre à ne pas rester ici. »

Le prêtre se leva et s'approcha de la vieille dame.

« C'est vrai, personne ne peut apprécier le cœur d'une mère, dit-il. Cependant, Dieu est miséricordieux. »

Le visage de la vieille, tout à coup, commença à trembler en proie à un hoquet d'origine nerveuse.

« Dieu est miséricordieux, continua le prêtre, quand elle se calma un peu. Je vous dirai que dans une paroisse il y avait un malade, pire que Maria Dmitrievna. Eh bien, un simple boutiquier l'a guérie en un rien de temps avec des herbes. Et même cet homme est maintenant à Moscou. Je le disais à Vassili Dmitrievitch, on pourrait au moins essayer, ce serait une consolation pour la malade. Tout est possible au Bon Dieu.

— Non, elle est perdue ! prononça la vieille. Au lieu de moi, c'est elle que Dieu prend. »

Et le hoquet nerveux devenant plus fréquent, elle perdit connaissance.

Le mari cacha son visage dans ses mains et sortit de la chambre.

La première personne qu'il rencontra dans le couloir fut le garçon de six ans, qui, tout en courant, tâchait d'attrapper sa sœur cadette.

« Eh bien ! Vous n'ordonnez pas de mener les enfants près de leur maman ? demanda la vieille bonne.

— Non, elle ne veut pas les voir. Ça la fatigue. »

Le garçon s'arrêta un moment et regarda fixement le visage de son père ; et aussitôt, en gambadant et poussant des cris joyeux, il courut plus loin. « C'est le cheval noir, papa », cria-t-il, en montrant sa sœur.

Cependant, dans l'autre chambre, la cousine était assise près de la moribonde, et, par une conversation habilement conduite, s'efforçait de la préparer à l'idée de la mort. Le docteur, près de l'autre fenêtre, préparait une potion.

La malade, en camisole blanche, tout entourée de coussins, était assise sur le lit et, silencieuse, regardait sa cousine.

« Hé ! mon amie, dit-elle en l'interrompant, ne me préparez pas. Ne me considérez pas comme une enfant. Je suis chrétienne. Je sais tout. Je sais que je ne vivrai plus longtemps. Je sais que si mon mari m'avait écoutée plus tôt, je serais en Italie, et que peut-être, sûrement même je serais guérie. Tout le monde le lui disait. Mais que faire, c'est évidemment la volonté de Dieu. Nous sommes tous des pécheurs, je sais cela, mais j'espère qu'avec la grâce de Dieu, tout sera pardonné, tout doit être pardonné. J'essaie de me comprendre, car moi aussi j'ai des péchés sur la conscience, mon amie ; mais aussi, combien ai-je souffert ! J'ai essayé de supporter patiemment mes souffrances...

— Alors faut-il appeler le prêtre, mon amie ? Après la communion, vous vous sentiriez mieux. »

La malade inclina la tête en signe de consentement.

« Dieu, pardonnez-moi mes péchés », murmura-t-elle.

La cousine sortit et fit signe au prêtre.

« C'est un ange », dit-elle au mari, les larmes aux yeux.

Le mari se mit à pleurer. Le prêtre entra dans la chambre ; la vieille était encore sans connaissance ; la première chambre était toute silencieuse.

Cinq minutes après, le prêtre franchit la porte, ôta son étole et remit en ordre ses cheveux.

« Grâce à Dieu elle est maintenant plus calme et désire vous voir », dit-il.

La cousine et le mari entrèrent. La malade pleurait doucement en regardant l'icône.

« Je te félicite, mon amie, dit le mari.

— Merci ! Comme je me sens bien, maintenant. Quelle douceur incomparable j'éprouve. » Et un sourire léger jouait sur ses lèvres. « Comme Dieu est miséricordieux ! N'est-ce pas ? Il est miséricordieux et tout-puissant ! »

Et de nouveau, avec une piété avide, les yeux pleins de larmes, elle regarda l'icône.

Puis, tout à coup, elle parut se rappeler quelque chose et, d'un signe, elle appela son mari.

« Tu ne veux jamais faire ce que je te demande... », dit-elle d'une voix faible et mécontente.

Le mari allongeait le cou et l'écoutait docilement.

« Quoi, mon amie ?

— Combien de fois t'ai-je dit que ces docteurs ne savent rien ; il y a des remèdes simples qui guérissent... Voilà... le prêtre disait... un homme du peuple, envoie...

— Qui chercher, mon amie ?

— Mon Dieu ! il ne veut rien comprendre... »

Et la malade se crispa et ferma les yeux.

Le docteur s'approcha d'elle et lui prit la main. Le pouls était de plus en plus faible. Il cligna les yeux vers le mari. La malade remarqua ce signe et se retourna effrayée.

La cousine se détourna et se mit à pleurer.

« Ne pleure pas, tu nous tourmentes, et toi et moi, dit la malade, et cela m'ôte la suprême tranquillité.

— Tu es un ange ! dit la cousine en lui baisant la main.

— Non, embrasse-moi ici. On ne baise à la main que les morts. Mon Dieu ! Mon Dieu ! »

Le même soir, la malade n'était plus qu'un cadavre, et ce cadavre était mis en un cercueil placé dans la salle de réception. Dans la grande pièce aux portes fermées, un diacre, assis, nasillait monotonement les psaumes de David. La lumière claire des cierges tombait de hauts chandeliers d'argent sur le front pâle de la morte, sur ses mains inertes, cireuses et sur les plis pétrifiés du linceul, que soulevaient lugubrement les genoux et les doigts de pieds. Le diacre, sans comprendre les paroles,

les débitait de sa voix monotone, et dans la chambre les sons résonnaient étrangement et s'étouffaient. De temps en temps, d'une chambre éloignée, arrivaient les voix des enfants et leurs piétinements.

« Caches-tu ta face : elles sont troublées. Retires-tu leur souffle : elles défaillent et retournent en leur poudre.

« Mais si tu renvoies ton Esprit, elles sont créées, de nouveau, et tu renouvelles la face de la terre.

« Que la gloire de l'Eternel soit célébrée à toujours. » *(Psaume 103,* versets 29-30-31. *Version Osterwald.)*

Le visage de la morte était sévère et majestueux. Ni sur le front pur, glacé, ni sur les lèvres serrées pas un mouvement.

Elle était tout attention ! Comprenait-elle au moins, maintenant, ces grandes paroles ?

*
**

Un mois plus tard, une chapelle de pierre s'élevait sur la tombe de la défunte. Sur celle du postillon il n'y avait pas encore de pierre, et seule l'herbe verte poussait sur le petit tertre, unique indice d'une existence humaine disparue.

« Ce sera un péché, Sérioja, si tu n'achètes pas la pierre pour Fédor, dit un jour la cuisinière. Autrefois tu disais : « A l'hiver » ; l'hiver est passé et maintenant, pourquoi ne tiens-tu pas ta parole ? J'en suis le témoin. Il est déjà venu une fois te la demander ; si tu ne l'achètes pas, il reviendra et t'étouffera.

— Mais je ne refuse pas, répondit Sérioja. J'achèterai la pierre, c'est sûr, je l'achèterai pour un rouble et demi. Je ne l'ai pas oublié ; mais il faut la porter. Dès qu'il y aura une occasion d'aller à la ville, je l'achèterai.

— Si au moins tu y mettais une croix, voilà qui serait bien, autrement c'est mal, dit un vieux postillon... Enfin, tu portes ses bottes !...

— Mais où prendre une croix ? On ne peut pas la faire avec des bûches.

— Que dis-tu ! On n'en fait pas avec des bûches, mais prends une hache et va dans le bois, de bon matin, et tu en feras une. Tu couperas un frêne et ça fera une croix ; autrement il faut encore donner de l'eau-de-vie au gardien ; si l'on voulait donner de l'eau-de-vie à chaque canaille, on n'en finirait pas. Tiens, récemment, j'ai cassé une volige, alors j'en ai coupé une nouvelle, superbe, et personne ne m'a rien dit. »

Le matin, à l'aube, Sérioja prit une hache et gagna le bois.

Tout était couvert d'une froide rosée qui tombait encore et n'était pas éclairée par le soleil. L'orient s'éclairait peu à peu et reflétait sa lumière faible sur la voûte du ciel couvert de légers nuages. Au sol, pas un brin d'herbe ne remuait ; au sommet des arbres, pas une feuille ne tremblait. Seuls les bruits d'ailes, qu'on entendait parfois dans l'épaisseur du bois, ou leur frottement sur le sol, rompaient le silence de la forêt. Tout à coup, un son étrange... et la nature éclata et s'embrasa à la lisière de la forêt. Mais de nouveau les bruits retentirent et se répétèrent en bas près des troncs immobiles. La cime d'un arbre tremblait extraordinairement, ses feuilles semblaient murmurer quelque chose, et la fauvette perchée sur l'une des branches voleta deux fois en sifflant, et, en agitant sa petite queue, s'installa sur un autre arbre.

En bas, la hache frappait de plus en plus fort. De gros copeaux blancs tombaient sur l'herbe humide de rosée ; chaque coup était accompagné d'un craquement léger. L'arbre vacillant tout entier se penchait vivement, se redressait en ébranlant profondément ses racines. Pour un moment, tout devint calme, mais de nouveau l'arbre se courba, son tronc craqua, et, brisant les taillis, écrasant ses branches et ses feuilles, son sommet toucha le sol humide.

Les sons de la hache et ceux des pas se turent. La fauvette, en sifflant, sauta plus haut, la petite branche qu'elle accrocha avec ses ailes se balança un moment et s'arrêta, comme les autres, avec toutes ses feuilles. Les arbres avec leurs branches immobiles se dressèrent encore plus joyeux sur l'espace élargi.

Les premiers rayons du soleil, en perçant les nuages transparents, brillaient sur le ciel et se dispersaient sur la terre et le ciel. Le brouillard, par ondes, commençait à glisser dans les ravins. La rosée brillait en se jouant dans la verdure ; de petits nuages blancs, transparents, blanchissaient et couraient sur la voûte bleue. Les oiseaux s'ébattaient dans le fourré et comme éperdus gazouillaient quelque chose d'heureux. Les feuilles luisantes, calmes, murmuraient dans les cimes, et les branches des arbres vivants s'agitaient lentement, majestueusement au-dessus de l'arbre abattu, mort.

COMMENTAIRES

I

BIOGRAPHIE

1828 — *28 août (9 sept.)* — Naissance dans le domaine familial de Iasnaïa Poliana de Léon Nicolaievitch Tolstoï ; descendant des Volkonsky par sa mère et des Tolstoï par son père, il est un pur produit de la classe dominante, la noblesse.

1830 — Mort de la mère suivie sept ans plus tard, par celle du père. La grand-mère maternelle, puis les tantes s'occupent des orphelins (Léon, ses trois frères et leur sœur Marie). Tutelle exclusivement féminine.

1841 — La famille s'installe à Kazan où Léon traîne de médiocres études à la faculté de langues orientales puis à celle de droit.

1847 — Léon abandonne l'université et s'installe à I.P., domaine qui lui échoit au partage de la succession. A 19 ans, libre de toute tutelle, il s'installe dans une vie de gentilhomme campagnard. Il entame la rédaction de son *Journal* qu'il tiendra pratiquement toute sa vie.

1851 — La vie campagnarde lui pèse et après deux voyages à Saint-Pétersbourg et à Moscou, il décide de suivre son frère Nicolas au Caucase. La vie militaire et le contact de la Nature lui donnent un nouvel élan. Premiers projets romanesques.

1852 — Il envoie *Enfance* au poète Nékrasov qui l'imprime dans le numéro de septembre du *Contemporain.* Encouragé par le premier succès Tolstoï travaille à la suite de son autobiographie.

1853 — Le récit *L'Incursion* est publié dans *Le Contemporain,* ébauche du plan des *Cosaques* de la *Matinée d'un propriétaire.* En décembre, Tolstoï est promu officier et muté à l'armée du Danube.

1854 — Le siège de Sébastopol confronte Tolstoï à la réalité de la guerre. Il en tire les *Récits de Sébastopol* qui paraissent dans *Le Contemporain.*

1855-1857 — Après intervention du tsar, Tolstoï est rappelé à Saint-Pétersbourg où il fréquente les cercles littéraires et mondains ; il dédie à Tourguéniev le récit *La coupe en forêt.*

1857 — Publication des *Deux hussards* et de *Jeunesse.* Lassé de la vie de la capitale il retourne à I.P., où il échoue dans sa tentative de libérer ses paysans. Découragé, il part pour l'étranger.

1858 — Publication des *Trois Morts.*

1859 — Parution du *Bonheur conjugal* dans *Le Messager russe.* Premières tentatives d'écoles pour paysans à I.P.

1860-1861 — Second voyage à l'étranger (Allemagne,

France, Italie). Etudes des différents systèmes pédagogiques. Le frère préféré, Nicolas, meurt de phtisie à Hyères.

1861 — A l'étranger, Tolstoï apprend sa nomination de médiateur dans les affaires paysannes, fonction créée en vue de l'application du Manifeste d'émancipation des paysans accordé le 19 février par le tsar Alexandre II. Il s'acquitte de cette tâche avec grande conscience, ce qui lui vaut l'inimitié de nombre de propriétaires. Développe les activités d'enseignement et crée une revue pédagogique.

1861-1862 — Brouille avec Tourguéniev. Tolstoï démissionne de sa fonction de médiateur après une perquisition policière et part faire une cure de koumys dans le gouvernement de Samara.

1862 — Tolstoï épouse S.A. Bers, âgée de 18 ans, fille de médecin. Vie à I.P. où il s'occupe d'agriculture. Publication des *Cosaques*, de *Polikouchka* et de *Kholstomer.*

1863-1869 — Tolstoï commence *Guerre et Paix* par une ébauche intitulée *Les Décembristes.* S'appuyant sur nombre de documents, il éprouve le besoin de remonter à l'époque des guerres napoléoniennes. La création de cette grande fresque où se mêlent destinées individuelles et flux de l'histoire n'ira pas sans instants de doute et de découragement.

1865 — Les premiers chapitres paraissent dans *Le Messager russe* (n°s 1 et 2) sous le titre *L'année 1805.*

1869 — Publication de *Guerre et Paix* (le titre est emprunté à Proudhon) en volume séparé. Tolstoï se passionne pour Shopenhauer. Episode de la nuit d'Arzamas, crise et révélation de la mort.

1870-1872 — Tolstoï s'attelle de nouveau au travail pédagogique. Compose un *Abécédaire,* un livre de lecture pour enfants. Il apprend le grec en trois mois. Conçoit un roman sur l'époque de Pierre Ier. Part à nouveau faire une cure de koumys.

1873-1877 — Travail sur *Anna Karénine.* Tolstoï dit n'avoir jamais aussi bien travaillé. De 1875 à 1877, parution dans *Le Messager russe.* L'élément psychologique et social prend le pas sur l'élément historique. Sur le fond de la société russe des années 1870, les destins de Lévine et d'Anna s'enchaînent dans une fresque plus intime et plus équilibrée. *A. K.* est à *Guerre et Paix* ce qu'en musique le concerto est à la symphonie.

1878 — Parution d'*A. K* en volume séparé.

1880-1881 — Fin d'une période dans l'œuvre de Tolstoï. Celui-ci traverse une crise religieuse et morale qui l'amène à reconsidérer toutes les valeurs selon lesquelles il avait jusque-là vécu. Il attaque l'Eglise orthodoxe et confesse une foi nouvelle originale *(L'Eglise et l'Etat, Confession, Critique de la théologie dogmatique, Concordance et traduction des quatre Evangiles),* ouvrage pour lequel il apprend l'hébreu, enfin *Quelle est ma foi ?* où il se fait le prophète d'une nouvelle religion, le tolstoïsme.

1881 — Le tsar « libérateur » est assassiné et Tolstoï écrit à son successeur une lettre prônant la clémence pour les meurtriers.

1882 — La famille se transporte à Moscou où Tolstoï prend part au recensement. Du contact avec la réalité de la misère urbaine naît un article pathétique *A propos du recensement de Moscou.*

1883-1886 — Tolstoï travaille à son essai *Que devons-nous faire alors ?* Entrée dans la vie de Tolstoï de Tchertkov, le zélateur de la foi tolstoïenne. Contes populaires pour l'édition *Le Médiateur (Trois vieillards, Ivan le sot...).*

1886 — Après avoir achevé l'essai *Que devons-nous faire ?*, il compose l'admirable nouvelle *La mort d'Ivan Ilitch* ainsi qu'une pièce de théâtre *La Puissance des ténèbres,* description naturaliste du drame de l'obscurantisme en milieu paysan.

1888-1889 — Dans *La Sonate à Kreutzer* Tolstoï condamne violemment l'amour et le mariage. Image frappante des contradictions qui ne cesseront de l'assaillir toute sa vie, sa femme met alors au monde son treizième enfant. Période de tension entre les deux époux à cause des résonances autobiographiques de la nouvelle.

1890-1891 — Contes sur les chrétiens *(Marchez dans la lumière...),* récit *Le Diable,* essai *De la vie.*

1891 — Renonce à ses droits d'auteur.

1892 — La famine frappe les provinces du centre et du sud-ouest de la Russie. Tolstoï collabore avec Raievsky pour organiser les secours.

1893 — *Le royaume de Dieu est en nous,* traité moral dans lequel Tolstoï prône la fameuse doctrine de non-résistance au Mal.

1895 — Tolstoï termine le récit *Maître et Serviteur,* parabole de l'inégalité sociale. Il prend la défense des Doukhobors, membres d'une secte non-violente.

1897 — Dans le traité d'esthétique *Qu'est-ce que l'art ?* Tolstoï dénonce la perversité et l'immoralité de l'art avec l'intolérance d'un véritable inquisiteur, jetant l'anathème sur Beethoven et Shakespeare.

1898 — Pour aider les Doukhobors à émigrer, il termine *Le Père Serge,* nouvelle mélodramatique dans laquelle il fustige l'orgueil, puis travaille à *Résurrection,* dont l'idée l'habitait depuis 1887.

1899 — Le roman paraît dans la revue *Niva* avec de nombreuses coupures, conséquences des violentes attaques contre l'Eglise et la Justice.

1901 — Tolstoï est excommunié par le Saint-Synode.

1901 — Contacts avec la jeune génération d'écrivains : Tchékhov, Gorki... Essai *Qu'est-ce que la religion ?,* drame *Le Cadavre vivant,* anthologie de moralistes *Pensées des sages,* et surtout *Hadji-Mourat* (publié seulement en 1912), récit historique reprenant à un demi-siècle d'intervalle le même cadre que *Les Cosaques* et la même opposition rousseauiste de la Nature et de la Civilisation.

1905 — Dans ses articles *(Le gouvernement, les révoltes et le peuple, Lettres à Nicolas...)* Tolstoï se démarque des révolutionnaires aussi bien que du pouvoir tsariste.

1908 — Pour son quatre-vingtième anniversaire, Tolstoï proteste contre l'exécution de vingt personnes à Kherson, par un article véhément : *Je ne peux plus me taire* où il demande qu'on le mettre purement et simplement en prison.

1908-1910 — Les deux dernières années de la vie de Tolstoï se déroulent dans une atmosphère familiale particulièrement tendue et pénible — polémiques autour du Testament, des Journaux, entre Tchertkov le disciple et Sonia l'épouse — qui explique en partie son départ de I.P. le 28 octobre 1910.

1910 — 7 *novembre.* Tolstoï meurt dans la petite gare d'Astopovo et est enseveli selon son désir à I.P. dans la forêt, au bord du ravin où son frère Nicolas disait qu'était enfoui le petit rameau vert, clef de l'amour universel.

II

GENESE ET MANUSCRITS

Le récit *Trois Morts* date des années 1850. C'est donc dès le début de la carrière littéraire de Tolstoï qu'apparaît le thème de la mort.

Cette œuvre se situe à mi-chemin entre les premiers récits *(Enfance)* et la période des grands romans *(Guerre et Paix)*. Elle a été écrite en janvier 1858 et publiée pour la première fois dans la revue *Bibliothèque pour lire* en 1859.

Elle fut bien accueillie dans les cercles littéraires, quoique pas toujours bien comprise. C'est pourquoi Tolstoï a éprouvé le besoin d'expliquer son intention dans une lettre à sa tante Alexandrine : « Mon idée, écrit-il, était la mort de trois êtres : une dame, un paysan, un arbre. La dame est pitoyable et vile, elle a menti sa vie durant et persiste à mentir devant la mort. Le christianisme tel qu'elle l'entend ne résout pas pour elle le problème de la vie et de la mort. Pourquoi mourir quand on désire vivre ? Aux promesses de vie future du christianisme, elle croit par l'imagination et par son intelligence mais tout son être se cabre et il n'est point d'autre apaisement (hormis l'apaisement pseudo-chrétien) car la place est prise. Elle est vile et pitoyable. Le *paysan* meurt paisiblement, justement parce qu'il n'est pas chrétien. Sa religion est autre bien que, par habitude, il ait pratiqué les rites chrétiens. Sa religion est la nature au contact de laquelle il a vécu. Il a lui-même abattu des arbres, semé et moissonné le blé, tué ses moutons, il en a élevé comme il a élevé ses enfants, il a vu mourir des vieillards et il connaît par cœur cette loi dont il ne s'est jamais détourné comme la dame et l'a considérée avec droiture et simplicité. *L'arbre* meurt paisiblement, honnêtement, en beauté. En beauté parce qu'il ne meurt pas, ne joue pas la comédie, ne craint ni ne regrette rien. »

Le problème des fins dernières de l'homme est ici posé et même déjà résolu par la philosophie quelque peu simpliste de Tolstoï qui n'est autre qu'une religion de la nature.

L'idée qui préside aux *Trois Morts* sera reprise, approfondie et développée quelque trente ans plus tard avec *La Mort d'Ivan Illitch.*

Ivan Illitch reprend avec plus de force le personnage de la dame des *Trois Morts.*

On ne connaît pas la date précise à laquelle Tolstoï a commencé son récit.

Une lettre de sa femme permet de situer le début de son travail en décembre 1882. Entre avril 1884 et mars 1886, Tolstoï travaille activement à son récit.

Les premières épreuves sont corrigées le 15 février 1886 et la nouvelle paraît en avril dans le tome XII des œuvres complètes.

Le prototype du héros est un membre du tribunal

de Toula, Ivan Illitch Metchnikov, mort d'un cancer le 2 juillet 1881. Tolstoï semble avoir connu certains membres de sa famille. Ce qu'il avait entendu dire de la maladie et de la mort de cet homme l'a incité à en faire le personnage central de son œuvre.

La première version initialement intitulée *La Mort d'un Juge* est conçue comme un fait divers, exposé à la première personne. Elle devait être la description de la mort d'un homme ordinaire faite par un collègue d'Ivan Illitch qui avait reçu de la veuve le journal du défunt. C'est ce que nous apprenait l'épigraphe du manuscrit de cette première version : « Il n'est plus possible, non, il n'est plus possible de continuer à vivre comme j'ai vécu jusqu'à présent et comme nous vivons tous. Voilà ce que m'ont révélé la mort d'Ivan Illitch et le journal qu'il a laissé. Je veux donc décrire ma conception de la vie et de la mort avant cet événement et je transcrirai son journal tel qu'il m'est parvenu, me contentant seulement d'y ajouter quelques détails que j'ai appris de ses familiers. »

Peu à peu, Tolstoï en vient à prendre la place du narrateur, supprimant ainsi un procédé qui, par son caractère conventionnel et artificiel, ne pouvait que nuire à la véracité du récit.

En septembre 1894, Tolstoï aborde à nouveau le problème de la mort avec *Maître et Serviteur*, intitulé d'abord *La Tourmente de neige* et qui paraît le 15 mars 1895 dans trois publications simultanément : la neuvième édition des œuvres complètes et deux revues *Le Médiateur* et *Le Messager du Nord*.

Le récit est terminé en 1894 mais Tolstoï, doutant de sa valeur, le remanie en janvier 1895 et toujours en proie au doute il l'envoie à Strakhov, son conseiller littéraire.

La nouvelle plaît à celui-ci et Tolstoï commence à corriger les épreuves. A peine a-t-il fini la correction qu' « une chose horrible, un très grand événement spirituel » vient ébranler l'écrivain : son dernier-né, Vanitchka, meurt dans la nuit du 26 février. Cet événement se cristallise avec l'épilogue de *Maître et Serviteur* et Tolstoï déclare à Ivan Bounine venu lui rendre visite : « Mais qu'est-ce que cela signifie : il (Vanitchka) est mort ? Il n'y a pas de mort, il n'est pas mort puisque nous l'aimons, puisque nous vivons de lui. » Et Tolstoï d'entraîner son interlocuteur dans une promenade à travers la campagne enneigée, sautant les fossés en scandant furieusement : « Il n'y a pas de mort ! Il n'y a pas de mort ! » Il n'y a rien à ajouter à cette conclusion péremptoire qui pourrait servir de leçon aux trois récits.

III

ACCUEIL

La mort d'Ivan Illitch

Publié pour la première fois en 1886, le récit produit dans le public une vive impression. Le critique Stassov écrivit à Tolstoï, immédiatement après la lecture de l'œuvre : « Aucun peuple, nulle part au monde, ne possède une œuvre aussi géniale. Tout est petit, mesquin, faible et pâle en comparaison de ces soixante-dix pages. Et je me suis dit : « Voilà enfin l'art véritable, la vérité et la vie « vraie . »

De son côté, le compositeur Tchaïkovsky notait dans son journal : « J'ai lu *La Mort d'Ivan Illitch.* Plus que jamais je suis persuadé que le plus grand des artistes écrivains qui aient jamais existé est Léon Tolstoï. Il suffit de lui seul pour que les Russes ne baissent pas honteusement la tête quand on fait le compte devant eux de tout ce que l'Europe a produit de grand. »

Le peintre Kramskoï dit son émotion dans une

lettre à Kovalevsky : « C'est quelque chose qui cesse d'être de l'art et devient simplement de la création. Ce récit est biblique et je ressens une profonde émotion à l'idée qu'une telle œuvre est à nouveau apparue dans la littérature russe... l'étonnant, dans ce récit, c'est l'absence totale d'enjolivures sans laquelle, semble-t-il, il n'est pas d'œuvre humaine. »

Conservateurs et radicaux divergent dans leurs opinions, les uns soutenant la nouvelle direction de son œuvre, les autres (Mikhaïlovsky) reprochant le manque de clarté des options et le non-engagement.

En France, Romain Rolland rapporte que *La Mort d'Ivan Illitch* « est une des œuvres de la littérature russe qui a le plus frappé les lecteurs français ». Par ailleurs, il se souvient d'une conversation avec deux bourgeois du Nivernais « qui, jusque-là ne s'intéressaient guère à l'art et n'avaient rien lu », pendant laquelle ceux-ci parlèrent avec une grande émotion du récit.

Maître et Serviteur

Publié conjointement par *Le Messager du Nord* et *Le Médiateur* en 1895, ce récit remporta un succès prodigieux dans le public.

Strakhov écrivait à Tolstoï : « Que puis-je vous dire. Le froid me saisit la peau... le mystère de la mort voilà ce qui est chez vous inimitable... La précision et la pureté de chaque trait tiennent du prodige. »

En revanche, Tolstoï lui-même était loin d'être satisfait : « Mon récit est mauvais. Je voudrais lui consacrer une critique anonyme » et il confie au jeune écrivain Bounine, futur prix Nobel : « C'est horrible ! C'est tellement mal que j'ai honte de me montrer dans les rues. »

L'auteur soviétique des notes du volume XII des Œuvres complètes de Tolstoï n'est pas tendre pour le récit. Il affirme entre autres : « Le prêche illuminé de la non-résistance au mal oblige l'auteur à développer un conflit social réel, aigu et vivant non dans une direction organique propre, mais à l'adoucir artificiellement, à le neutraliser. »

Trois Morts

Le récit publié pour la première fois en 1859 dans la revue *Bibliothèque de lecture* fut accueilli favorablement dans les cercles littéraires.

Certaines incompréhensions subsistèrent cependant dont Ivan Tourguéniev se fait l'écho dans une lettre à Tolstoï du 11 février 1859. « *Trois Morts* ont dans l'ensemble plu, mais on trouve la fin étrange et on ne comprend pas bien son lien avec les deux morts précédentes et ceux qui comprennent sont mécontents. » C'est pour répondre à de tels reproches que Tolstoï écrivit à sa tante Alexandrine une longue lettre (citée plus haut, pages 198-199).

Le jeune critique radical Dimitri Pissarev consacra un article au récit dans la revue *L'Aube* (n° 12, 1859). Il y soulignait la puissance artistique du récit ainsi que la « profondeur et la finesse de l'analyse psychologique » relevant de cette « dialectique de l'âme » que Tchernychevsky tenait pour la qualité fondamentale du talent de Tolstoï.

TABLE

COMMENTAIRES

Composition réalisée par C.M.L. - PARIS

IMPRIMÉ EN FRANCE PAR BRODARD ET TAUPIN
7, bd Romain-Rolland - Montrouge - Usine de La Flèche.

ISBN : 2 - 253 - 00177 - 5

30/3958/3